跟孤獨及自卑說再見
走出悲傷 奔向燦爛陽光
多次獲選為
「最受中學生歡迎作家」
及「小學生最喜愛的作家」
七度當選
「我最喜愛的作家」
君比 著
明窗

序

〈校園地下情〉、〈那一年的聖誕夜〉和〈分手，在晴天〉這幾篇愛情小說，撰寫時我依然在中學教書。三篇小說都改編自學生和同行的真實故事，因為是認識的人，寫來份外投入。

〈不愛家的女孩〉中的主角是我的舊學生，她在一個響應國際家庭年而舉辦的全校性活動中，向大家講述了自己的經歷，不少老師和同學都感動流淚。後來，我徵求她的同意，把她的經歷改編成小說。

〈跟孤獨及自卑說再見〉的主角原名仕宇，他是小童群益會「奮進兒童獎勵計劃」的其中一名得獎同學。那一年，我也是計劃的評審之一。仕宇在最後一輪面試非常淡定，表現成熟，得獎是意料中事。他卓越的學業

成績實在得來不易，其堅毅精神很值得借鏡。

〈母與女〉是我其中一篇小小說，純粹虛構。構思題材和佈局所花的時間遠比撰寫的時間為多，寫的時候我樂在其中。

〈我要考第一〉是我大仔啟楠在高小時寫的第一篇小說。故事取材自港台一個特輯〈童夢飛揚〉中的一集〈難為小當家〉。這真實個案中的哥哥是一個十一歲的單親家庭孩子，當媽媽要返回大陸，這大哥哥便肩負起照顧弟妹的責任，煮飯打掃之外，還要帶弟妹出外找一些免費娛樂。在我指導下，啟楠嘗試站在這大哥哥的角度去看他身邊的人和事，慢慢構思故事內容和設計角色，作了他人生第一次小說創作。轉眼間，啟楠成長了，

今年他已是港大一年級生。

我要特別感激Yoyo Tong借出由攝影師Jack操刀的相片作為書的封面；雖然有關她的故事收錄在其他書。認識Yoyo Tong才一年，她的故事印證了人生如戲這個詞語。我曾先後在其他系列寫過她兩次，若果大家有興趣知道這年輕靚媽咪最新又最詳細的故事，請看我的親子文集——《每天擁抱你的孩子》。

Facebook：www.facebook.com/quenby.fung

Website：www.fung-quenby.com

君比

目錄

校園地下情

這個大早，天色蒼白如久病少女的面容。

沛茹昨天因病缺席，今天一回到學校便到處找好友依妮，卻遍尋不獲。早會開始了，仍沒有她的蹤影，一種不安的感覺驀地湧上心頭。

早會過後，大家魚貫進入課室，呼朋喚友一輪才陸續坐下。

「沛茹！昨天你缺席，依妮託我把這信交給你！」

沛茹從班長小陶手中接過一個淺藍色的信封。她立刻把信拆開，一讀之下，登時呆住了。

親愛的沛茹：

你是個不可多得的朋友。很感激你在這段日子一直作我的聆聽者，給予我關懷和忠告。真的希望一輩子都能與你繼續這份情誼。可惜，我已了無生趣，決定中斷我的生命。當你讀着這封信的時候，相信我已離開人世了。

你不要震驚。在你知道究竟發生了什麼事情之後，試試體諒我的悲痛心情，尊重我的意願。

Donny 已有整整五天沒有找我了，Call 他千萬次，他卻不覆機，令我牽腸掛肚。就算忙透了，抽十秒鐘搖個電話給我也可以吧！

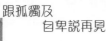

昨天，我終於忍不住，往Donny 家找他。一開門見到是我，他的臉色陡地變得非常難看。他把我扯到樓梯口，粗聲粗氣的罵起我來。

他說我太任性，不理會他的感受，不為他着想。說真的，我在

家裏一向任性，但對着他卻不。事事以他為中心，聽從他的意願，要不公開戀情便不公開，在某區逛街不能拖手便不拖手，他愛穿那名牌的衫，我儲錢買給他。我這樣遷就他，愛他，他怎能說我不為他着想呢？最後，他竟說怕我累了他，要跟我分手！當初是誰採取主動的？是誰說甘願承受一切壓力的？是誰答應真心真意對我的？他太善忘了。

我說，曾聽人談論你，說你最近與一長髮女孩子拍拖，在尖沙咀街頭旁若無人地親吻，是否真有其事。他立刻便承認了，並叫我死心，又說那女孩子在中環當高級秘書，人既大方、漂亮又有教

養……

沛茹，我的心真的死了。既然心已死，人還留在世上幹什麼呢？你曾勸我不要放太多感情在他身上，若有什麼變遷，受傷的一定是我。對不起，我沒有聽你的說話，因為我根本不能控制自己的感情。我真是太失敗了！

永別了，沛茹！

讀畢依妮的信，不！這根本是封遺書！沛茹身子一軟，幾乎跌到地上去了。她定一定神，旋即向依妮的座位一瞥，是空的！她心裏亂得發麻，抖顫着走到課室前，向全班問道：「你們今早見過依

妮沒有？」

眾人皆搖頭說不。班長問：「究竟發生了什麼事？依妮在信裏寫了什麼？為什麼你這樣慌張？」

「依妮說——」沛茹止住了。若果說出信的內容，肯定引起大恐慌。而且，依妮這信是寫給她的，她總不能夠把好友的事公諸於世吧！

「我去找胡老師！」她拋下這句話，便衝出課室。為今之計，唯有向老師求助。班主任胡老師是沛茹最信任的老師，她是處理這事最適當的人選。

胡老師看過依妮的信後，難掩緊張的神色。

「王依妮沒有致電回校請假呢！讓我試試聯絡她吧。」胡老師分別致電依妮家及其母親的辦公室，但沒有人接聽。於是她把此事告之訓導主任林老師。沛茹立刻被傳召入訓導處，協助「調查」。

「鄭沛茹，你知道同學中可還有其他人收到王依妮的信嗎？」林主任問她道。

沛茹想了一想，肯定的道：「我相信沒有了。我算是依妮在班裏的深交。除了我以外，她不會隨便向同學吐露心事。這陣子，她非常煩惱。前晚她致電我家，聲音沙啞，斷斷續續的說有要事找

我。問她發生了什麼事，她只說不方便在電話裏談，便約我翌日早點回校再說。但昨天我卻病倒了，缺席一天，而依妮也沒有來電。想不到原來她會為那Donny自殺！她根本不值得為這種人輕生！」

沛茹激動起來，淚水奪眶而出。林主任趕忙安撫她，待她稍息片刻，再問：

「那個Donny是否附近那所男校的學生呢？因前一陣子舉行過好幾項聯校活動，其中有個頗活躍的學生喚做Donny。」

「不！不！絕不是那個Donny！」沛茹禁不住高聲道。

「那你認識信裏提及的Donny嗎？」林主任湊上前道。

沛茹垂首不語。

Donny。哼！她當然認識此人。林主任、胡老師，你們也一定認識他。然而，她可能說出來嗎？

依妮曾不止一次這樣對她說：「沛茹，你要答應我，千萬不要告訴任何人！我不想把事情搞大，我不想連累他。」

可憐依妮，她一直為這Donny設想，到頭來，她得着了什麼呢？

沛茹一想起依妮在信裏形容Donny對她那要不得的態度，她便切齒痛恨。

這樣的男人，值得人維護他，為他保守秘密嗎？當然，沛茹亦明白，秘密公開的後果會十分嚴重。

「鄭沛茹，若果你認識他，請你說出來吧。或許這會有助我們調查依妮的下落。」

對不起，依妮，我不能再替你守秘了。

「Donny 就是李Sir。」

林主任和胡老師那詫異的神情，沛茹一輩子也不會忘記。

「Donny 就是李Sir？」林主任難以置信的道。

「是依妮告訴我的，我也曾經親眼見過他倆在一起。」

沛茹清楚記得，那次她們在上課，李Sir經過走廊，腳步緩慢，兩顆小眼睛像探射燈般射進課室來。沛茹隨着他的視線方向往後望，正好與依妮的目光交接。只見依妮嫣然一笑的點了點頭。未幾，她便說要去洗手間，溜了出去。沛茹看着她朝樓梯那邊走，而那並非是往洗手間的方向。

好奇心驅使，沛茹也找藉口竄出課室，直往樓梯那邊走過去，就在走廊盡頭聽見了依妮和李Sir 的對話。

「我上星期一已約定你的了，你不會好好安排時間嗎？」依妮埋怨着。

「她們臨時把開會時間改掉，我也沒辦法！」李Sir解釋。「下次有機會再去吧！」

「幹嗎你最近次次都是這樣的！約好了又推，藉口多多！」依妮賭氣的道。

「我是真的有事做，不是找藉口，你要明白啊！」李Sir辯道。

「差不多一整個星期沒有約出來了，你到底是否不想見我？」

依妮似乎很激動。

「當然不是啦！你發什麼脾氣呀？我的確是忙透了……」

「我不聽我不聽……」

這時，恰巧有一班學生從樓上走下來。

「喂，依妮！我們要走了，遲些兒才給你電話！」李Sir旋即往走廊另一邊跑去了。

依妮轉頭正要返回課室，與沛茹打了個照面。

「依妮，你沒事吧？」沛茹看見她雙眼通紅，覺得她既可憐又委屈。

「我沒事，不用擔心。」依妮苦笑起來。

放學時，沛茹按捺不住了，把依妮拉到操場一個幽靜的角落，關切的向她道：

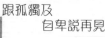

「依妮，你正和李Sir拍拖，是嗎？」

當依妮被問及是否和李Sir拍拖時，她怔了一怔，才幽幽的道：

「你剛才看見我們了？」

沛茹點了點頭。「你何時開始跟他拍拖？」

依妮輕嘆了口氣，道：「其實我也很想找你談談的。但你要答應我，不能把這告訴任何人。」

沛茹點點頭。依妮便開始她的故事了。

在學期初某天，我放學後留下來問他數學功課，直到五時多才走，他說要送我回家，我欣然接受。

在車裏，我們談得很高興。當車子駛到我家門前，他忽然邀我共進晚餐，我受寵若驚，立刻便答應了。從沒有男孩子約會過我，我想也想不到，李Sir居然會對我這個普通的女學生有興趣。

我們在一間酒店的餐廳吃晚餐，大家談心，他忽然讚我清純漂亮，思想成熟，與一般學生截然不同。他問我可有男朋友，我坦白告訴他沒有。他笑笑，約我周末去看電影。我們……就這樣開始了。

他當初對我十分好。一晚，我告訴他，我很愛漫步海灘，他便問我想去哪個海灘。我答：「隨便吧。」他便立刻驅車和我一連去

了三個海灘，説道：「這是『隨便一』、『隨便二』、『隨便三』，還要不要去『隨便四』？」

我永遠也不會忘記那一晚。依妮談起甜蜜回憶的樣子，沛茹至今還記憶猶新，料不到數個月後，這段戀情竟會有這樣的結局。

林主任和胡老師耳語一番之後，便對沛茹説：「鄭沛茹，請你先回去課室吧！」

「回去課室？我哪裏還有心情上課呀？依妮現在生死未卜！」沛茹激動起來。

「你的心情我們十分明白，但請你把這事交由我們處理。若有

依妮的消息，我們會讓你知道。」

回到課室，正是轉堂時候。沛茹立即被同學包圍住，問這問那。

「依妮究竟發生了什麼事呀？」

「是離家出走？跟人私奔？還是自殺？」

「昨天，依妮可有跟你們說過什麼呢？」沛茹問道。

「沒有呀！她還是像平日那樣，靜得像隻鬼！」這時，老師踏進課室，各人即作鳥獸散。

「李Sir今天缺席，這課由我代上。大家可以自修。」老師道。

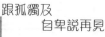

李Sir缺席？真巧合啊！他可知道依妮要為他自殺呢？依妮會否也給他遺書？啊！依妮不會要與他同歸於盡吧？

一陣恐懼陡地升起，牢牢的攫着沛茹。

好不容易才待至下課，她飛至訓導室，內裏空無一人。她再到教員休息室，找着胡老師，急問依妮的消息。

「依妮的媽媽剛來電為依妮請假，她說依妮今早被送入院。」

「有生命危險嗎？」沛茹的心房忐忑跳動。

「沒有。但要留院觀察。」

沛茹釋然，續問道：「在哪所醫院？我想去探望她。」

「依妮媽媽沒有告訴我們是哪一所醫院。」

「她有否說，依妮為何要入院呢？」

「她說依妮是吃錯了東西。」

「吃錯東西？」沛茹一臉疑惑的道。

「或許依妮媽媽認為有必要隱瞞實情，我們也該尊重她的意願。」胡老師微笑道：「總之，依妮平安無事就好了。」

沛茹點點頭，又道：「你們會把這事告訴李Sir嗎？」

「我們正與他聯絡，看看該如何解決這事。在我們作出任何決定之前，希望你能替我們保密，不要把事宣揚開去。可以嗎？」

「當然可以！你放心吧。」

走在往車站的路上，沛茹的心情還是沉重的。

最初得悉依妮和李Sir 拍拖時，她曾勸依妮不要讓這段感情持續下去。

「為什麼學生不能和老師拍拖呢？只要兩情相悅，身分根本不會構成問題。」依妮辯道。

「你或許真的對他癡心一片，但你又可知道他是否一樣真心待你呢？你和他在年紀、學歷和人生經驗都相差一大截。師生間的溝通還可，但若要發展成男女朋友的親密關係，這些不會做成障

礙嗎？你說對他傾慕還可理解，但我懷疑他會否同樣對你情有獨鍾。」

「我肯定和他雙方都付出真感情，你們局外人不能了解。」依妮固執的道。

從未戀愛過的沛茹當然不能了解，她只憑理性分析，覺得中學生並不適合拍拖，尤其是與老師拍拖，要偷偷摸摸，做賊似的，何來樂趣呢？加上她有預感這段情「命不久矣」，所以她極力反對依妮和李Sir交往。無奈依妮還是一意孤行。沛茹沒法，便由她了，只希望有一天，她會夢醒過來。

現在，她終於夢醒了。代價雖大，但汲取了一次寶貴的經驗，
相信不會再輕易墮進自編的癡夢裏吧？

那一年的聖誕夜

月眉打開巴士的窗，冷風呼呼的捲進來，拍打着她的面頰。她把頭緊貼在窗框，車子每一下震動都傳到她的心窩裏。

經過百貨公司時，外面傳來悅耳的聖誕歌聲。街上有聖誕老人贈送大大的紅氣球，甚為吸引，路過的孩子都爭着要。其中一個氣球在孩子手中飛脫，徐徐往上飄搖，飄過月眉的窗前，她只消伸出手就可以捉着。然而，她沒有，只瞪着眼睛讓這氣球飄走了。

初見衍生，是三年前的聖誕節翌日。那是個陰暗的下午，她在空盪盪的家裏悶得發慌。於是她披衣往外走，路過一間迷你戲院，一口氣看了三場電影。看第三齣時，她和衍生剛好坐在一起。銀幕仍未拉開，觀眾席疏疏落落，場面冷冷清清，顯得人人神情呆滯，似在默哀。

這時，衍生把手上的一包爆穀遞給月眉。

「吃不吃？」他啜着汽水，斜起眼睛瞧她，神態自若的道：「隨便，不用客氣！」彷彿彼此認識了許久。

月眉飛快的打量了他一眼。他皮膚黑裏帶黃，但眉清目秀，稱得上俊朗英氣，笑起來有點孩子的純真，想是正派人家吧！她隨即毫不客氣地把整包爆穀取去。

「我習慣吃爆穀要整包吃的！」她補充一句。

「那麼，汽水也要一整罐吧，是嗎？」他把汽水也遞過去。

兩人對望着，交換了一個笑容。

那一年，月眉十五歲，讀中四。衍生比她年長三年。他中一便輟學，在快餐店、超級市場、工廠、酒樓混過，現時在髮型屋當學徒。月眉和他都有戀愛經驗，嘗過失戀之苦。然而，彼此卻沒有對戀愛失去信心。

元旦翌日，月眉應約和衍生外出。

月眉並不是沒有考慮在高中階段拍拖會影響學業，只是她執意相信自己能兩者兼顧。

衍生工作的髮型屋星期三休息，大家便約定那是拍拖的日子，此外星期六晚也會見面。兩人唯一的共同嗜好是看電影；月眉愛看

西片，衍生則喜愛港產片，大家互相遷就，時常一星期看兩齣戲，幾乎大部分的影片都給他們看過了。

其實論性格，衍生和月眉的分歧着實很大。月眉活潑好動，嗜好多多；衍生則較內向。兩人吃飯、逛街的時候，盡是月眉說話，學校、家人、朋友，無所不談。

一次，衍生忍不住問她：「你這麼多朋友，這麼多節目，為何聖誕翌日會獨個兒去看三齣戲？」

月眉眼珠一轉，哈哈大笑起來，道：「其實我和幾個小學同學在聖誕節那晚搞了一個舞會，邀請朋友參加，但反應不太熱烈，到

來的人又不願意跳舞，乾坐着吃與喝，十分沒趣。結果我發脾氣，跑了回家。翌日起牀，心情仍是很差，與其呆在家裏發悶，倒不如跑去看戲。」

「幸好你那個舞會那麼失敗，否則我便遇不上你了。」衍生微笑道。

「信是有緣。即使那天不在戲院碰上，某時某地也會相遇。」

「是呀！或許某天碰巧你走到沙田，碰巧你想洗頭理髮，碰巧你選中我工作的店子，又碰巧是我幫你洗頭，然後你對我一見鍾情……」

「然後當晚我接你放工，預早買一包大爆穀，去到你的店子門前等你。」月眉俏皮的道。

「然後你才發覺，店前早已站了幾十個抱着大包爆穀的女孩子！」他狡獪的笑起來。

「一問之下，原來這群女孩子全都在等候那髮型師的，唯獨我在等你這個『洗頭仔』！」

她笑着，舉起指頭輕輕在他的鼻尖碰了一下。他收起笑容，捉着她雙手，神色凝重的道：「我不會一輩子是個『洗頭仔』。終有一天，我會升做師傅！」

「我相信你一定能做到。」月眉眨眨眼，莞爾一笑，臉上出現了梨渦。「我會一直在你背後支持你，替你打氣！」

當月眉把她的新戀情告訴表姊思諾時，思諾立刻問道：「他會否同樣在你背後支持你，替你打氣呢？」

「會的。他會支持我。」

「真的？他可有鼓勵你勤力讀書，專心學業，不要時常想着他？」思諾再問。

月眉遲疑了。

衍生從不過問她的學業，亦不會鼓勵她用功讀書，相反還偶爾

抱怨她只顧讀書，忽略了兩人相聚的時間。有時，當她正在桌前埋頭苦讀，衍生來個電話，兩人胡謅瞎聊便聊上半個至一個小時，把她周詳的讀書計劃全盤打亂。

她曾堅信自己定能兼顧學業與愛情。現在，她的信心開始動搖了。

「怎樣呀？他從沒有鼓勵你專心功課，是嗎？」思諾搖頭輕嘆：「唉！哪會有男孩子希望女朋友的學歷比自己高呢？」

月眉沉默片刻，堅定的道：「我不會介意他的學歷比我低。」

「但他則會介意你的學歷比他高，」思諾繼續說：「或許他口

裏說不介意，心裏還是耿耿於懷的。即使你倆排除萬難，堅持一起，亦未必會有幸福。他是個『洗頭仔』，將來或會升做師傅。不過，他始終只有中一程度。而你那麼聰明，將來不入大學也會進大專。你們的教育程度、思想、人生目標那麼懸殊，溝通難免會出現問題。再加上兩人的圈子都不同，當與對方的朋友相處時多格格不入。這些問題你考慮過沒有？」

月眉無言以對。思諾拍拍她的頭，柔聲道：「你那麼年輕，面前還有許多機會等着你呢！不要常常想着他，有空的話，想想你的目標吧！」

目標？月眉當然有。正如思諾所說，她要進高等學府接受教育，然後當個叱吒風雲的女強人。

「我是不會輕易放棄目標的！」她對自己說。

然而，當衍生三番四次在她考試前夕央求她出來作伴，她還是經不起考驗，放下書本，赴約去了。

結果她的期終試成績一落千丈，只能勉強升班。班主任蹙着眉頭教訓了她一頓，卻沒有問她成績低落的原因。當然最終的原因，月眉自己最清楚。

她狠心起來，整整一個月不見衍生，連他的電話也不接聽。衍

生起初不明就裏，急得如熱鍋上的螞蟻。後來他做了件生平第一次幹的事——送花給女孩子。卡上寫些什麼好呢？他費煞思量才想到一句歌詞：「沒有你，還是愛你。」

就是這麼一句話，月眉心軟了。她反覆在腦裏背誦這句話，一股甜絲絲的感覺蕩漾着。

兩人再次走在一起。

這時月眉頒下一道聖旨——以後每星期最多見面一次。而且，在她會考前兩個月暫停約會，直至考試結束。

衍生無可奈何地答應了。在她漫長的考試期間，連電話也不敢

多打給她，一直忍耐至月眉考完最後一科。

她說過考試後便找他狂歡。

那天，他半步也不敢離開髮型屋，每逢電話響，他便停下工作飛撲去接聽。可是，直至傍晚店子關門，月眉仍未來電。

衍生致電找她，家人說她還未回家。大概是跟同學出去了。反正閒着，他決定往月眉家門前等她。

他認為在寂靜的街道旁等候心愛的人是一種享受。

他由八時一直等至十時左右。一輛計程車停在他面前。他心愛的人下車了，身後緊跟着一個高大健碩的男孩子。

衍生怔住了，看着月眉和這男孩子談笑自若的走到他跟前。他驀然站起，幾乎想揪着那男孩子痛打他一頓。月眉卻若無其事的喚他：「衍生！你怎會在這兒的？」

溫溫婉婉的一聲叫喚，使他的怒氣減去一半。他轉頭緊盯着那男孩子。「這是我朋友王衍生。這是Benedict，致德書院的同學。」月眉立刻作介紹。「我們兩間學校將合作參加七月的校際戲劇比賽。今天剛考完試便被他們找去排戲了。」

「我們不是有約在先嗎？」衍生冷冷的道。

「噢！我忘了！今天排了大半天戲，不能致電給你。唉！我累

透了，遲點再說，好嗎？」

「我等了你一整天。」衍生依舊僵着臉。

「對不起！」月眉一臉無奈。

「我一下班便趕來等你。」

月眉凝視着他的一雙眼睛，似藏着無限的委屈。

結果二人在附近的大排檔吃飯，大家低頭默默吃着。沒見三個月，竟有點陌生了。

「你的考試如何？」

「該不太差吧。」

「你說的那齣戲劇何時比賽？」

「七月中。」

「你做什麼角色？」

「女主角。」

「是嗎？以前可沒有聽過你說喜歡演戲的！」

「我說過。你忘了吧！」

衍生瞅着她，神色凝重的問道：「你有否在我面前做過戲？」

月眉拿着筷子的手止住了，驚訝的道：「你說什麼呀？」

「我是完全不懂做戲的，說話也不會轉彎抹角，有一句便說一

句。」他用手擦擦嘴角，頓了頓才道：「但有時候，有些話卻難於啟齒。就像『其實我最愛是你』這句話，每次想對你說，不知怎的到了唇邊又吞回肚裏去。」

月眉定睛看着他，沒有答話。

「我是個平凡的人，沒有什麼奢望。我只想與喜歡的人開開心心地過日子。」衍生伸手去握月眉的手。她讓他握着，漸覺渾身發熱，彷彿他正緊抱着她。她閉上眼睛，一滴淚水從眼角徐徐淌下……

月眉順利升上中六，功課比以前更繁重，但與衍生仍會一星期

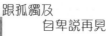

見面一次。那年的聖誕節，兩人去了初次見面的戲院，一起看了三齣電影。然後買了漢堡包到尖東海旁度過二人世界。

「你知道嗎？其實初見你那天，我也是獨個兒看了三齣電影。」衍生笑道。

「是嗎？」月眉詫異的望着他。

「入場看第二齣戲時，我便開始留意你。待完場便緊隨着你到售票處，看你買了另一場的票，便趕緊買下你旁邊的座位。當時我想：該如何逗你說話呢？恰巧看見面前的爆穀機，便心生一計。入場時一直祈求你是個饞嘴的女孩子。」

「然後終於給你求到了！」月眉訕訕的笑起來。

「是的。那次真的夠運。以前我祈求的事，沒有一件能夠達成。」衍生點了根煙，輕輕的吸起來。

「你以前求些什麼？」

「年幼時我祈求有個對我好一些的媽媽，但我還是日日給她打。我祈求我的親生爸爸回來帶我走，但我始終沒見過他一面。我九歲時搬去跟婆婆住。她入醫院時，我祈求她不要死，但結果她還是死了。往後搬回去跟媽媽住，我又祈求她不要嫁那男人……她仍是嫁了他。」

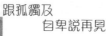

「那些都是以前的事，不用太介懷！」

「唔。」衍生摸摸她的臉，道：「你不要令我的祈求落空呀！」

她震了一震，臉上仍平和地笑。她拉起他冰冷的手，在她的粉臉上來回擦着。衍生忽然丟掉手上的煙，把月眉一擁入懷，連聲道：「你不要離開我……不要離開我……不要……」

月眉讓他緊緊擁抱着，心裏一片混亂。

她能答應他些什麼呢？不再結識男孩子，等他儲夠錢與她結婚，生兒育女？

「你認為衍生是你理想的結婚對象嗎？」

上次與表姊思諾談心事時，她提出這個問題。

「衍生有很多優點。」月眉倩笑起來，如數家珍的道：「他愛錫我，關懷我，也很遷就我。論外貌，他算是我認識的男孩子中最好的一個。」

「他究竟是否適合做你的丈夫呢？」

月眉緘默。

「我相信你倆的感情是真摯的。可是他愛你，並不等於他一定適合與你共同生活。」

那晚，月眉徹夜難眠，輾轉反側想着思諾的話。畢竟她還年輕，想要的有許多，而他想要的就只有她。

衍生。

月眉倏地閉上眼睛，淚水涓涓流滿一臉，漸漸浸透到她心坎裏去。之後每次見面，月眉愈來愈沉默寡言，笑容也吝嗇了，終日心事重重似的。衍生問她身體怎樣，功課可應付得來，她沒精打采地答着，彷彿久病纏身，對什麼也提不起勁。

「快要應付考試，心情太緊張了，是嗎？放鬆點，不要時常通宵溫習。有沒有預備雞精？要我親自送上嗎？」

「怎麼你像我媽似的？」她皺着眉頭說：「做回你的男人吧！這些事我媽自會照顧！」

衍生送她回家，她總是頭也不回的關上鐵閘。「咔」的一聲，剩下衍生可憐兮兮的站在閘前，反覆思量為何她會發脾氣。

漸漸地，衍生發現任憑他如何小心的發問和應對，她還是無端要起性子來。想是睡眠不足，令她脾氣暴躁吧，待她考試過後便沒事了。可是，她到底還有多少個試要考呢？校內的試、會考、大學入學試……

大學？

她會進大學嗎？她當然想。而他，是否該支持她？支持她，豈不就等於放棄她？

就在衍生為此苦惱的時候，月眉告訴他，她被城市理工大學經濟系取錄了。衍生心裏一沉，臉上還是興高采烈的說要跟她大事慶祝。

原來他也略懂做戲的。

開學前的暑假，月眉在一間時裝店做暑期工。九月偕同學一起上中國大陸遊玩。她一直推說很忙，一星期見面一次的規定變成三、四個星期才見一次。見了面，寒暄幾句後，大家便沒話可說。

衍生幾乎要在每次見面前預先擬定一堆話題，但不知怎的，月眉一出現在眼前，他便把要說的話忘得七七八八，餘下的不消一會便說清了。兩人四目交投，靦靦腆腆的，像對初相識的怕羞男女。

今年的聖誕節，衍生工作的理髮店照常營業。他本想如往年般約月眉去那間戲院看三齣電影，現在要打消這念頭了。月眉說假期還要趕功課，只能出來吃一頓飯。衍生心裏着實失望，但能夠相聚一晚也是好的。下月他會由「洗頭仔」升為髮型師，這個好消息，他要留待今晚才告訴她。

放了幾天假，月眉的樣子還是累得很。衍生想勸她多休息，但

又怕她嫌他囉唆，還是把話收回。他輕拖着她走，她的手冰冷冷的，五隻手指冰柱般硬撐着，全無被拖的意思。但衍生也還是牽着她走到餐桌前。

兩人點了菜。衍生打量她，笑道：「三年前初遇你，你也是穿這件藍色毛衣，是嗎？」

「不，這件毛衣是新的。是朋友送的生日禮物。」月眉答道。

「啊！是嗎？顏色一樣吧！」

「那件舊的已變了色，還起了毛頭。我早已把它丟了。」

衍生呆了半晌，才懂找別的話說。

「功課忙嗎？」

「當然忙！我還記着做功課，玩也不能盡興。你又怎樣呀？」

「店子這幾天特別忙，一開門便有客到，幾乎連吃飯也沒時間。」

「我本想找天到你處剪頭髮的，既然你這麼忙，還是不要了。」

「不要緊！你來到我便立刻撇下那些太太小姐們，只招呼你一個。」

「真的？」月眉微笑道。

「我哪有騙過你呢！」

月眉心裏抽痛。她若無其事的伸手把弄桌上的膠花，良久才道：「衍生，你待我太好了。」

「你不想嗎？」

「我不配。」

衍生疑惑的看着她。月眉垂下臉，幽幽的道：「這世上，可配得起你的女孩子多得很。」

「沒有比你更好的了。」衍生急忙説道。

「不，只是你認識了我以後便沒有再刻意去找。」月眉托着

腮，抬起臉凝視他。

「而你卻一直刻意去找另一個。」衍生嘆了口氣，雙手揉着自己的前額。

「我並非刻意去找！」月眉為自己辯護。

「但你找到了，是嗎？」

「對不起！衍生。這並不代表你不好，而是我們的距離愈來愈遠了。我怕有一天會傷害到大家。」

「你不願意再給我機會了嗎？」衍生苦笑道。

「衍生，我最不想傷害的就是你。」

兩人沉默不語。半晌，衍生頹然道：「雖然我自己並沒有什麼遠大的目標，但我是不會阻止你追求理想的。」

「對不起。」她再致歉。

「道歉的該是我。我早該知難而退。」

「但我們也曾開心過！」月眉輕按他的手。

衍生點點頭，心如針刺刀刮般疼痛。他強忍着，保持微笑吃完一頓飯。

從餐廳出來，只是九時左右。街上人來人往，繁忙的夜生活剛開始，衍生與月眉站在街上，目光猶豫的互望着。還是月眉先說

話：「這幾天假期，到處人頭湧湧，我幾乎不願上街了。」

衍生沒有意義的笑了笑，正要説些什麼，她搶先道：「我有事先走了。你要保重！」

她伸出手來，衍生和她握了一握。她的手出奇地暖和柔軟。

「再見！」她揮揮手，急急的走進人潮中。衍生僵立着，看着心愛的人遠去。

千千萬萬人中，他只選了她；而她，卻有另外的選擇。愛她，就得尊重她的決定，無論那是個怎樣的決定。

他深深吸了一口氣，抬起頭，向着最寬闊的大街走去。

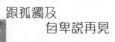

分手，在晴天

兆兒心裏有件事，整個空堂都在批改同一本作文簿。

十二時四十分，電話鈴聲響起了。兆兒滿以為是自己的手提電話響起，正準備打開手袋接聽，卻發現響起的是同事周Sir的手提電話。她失望透了。

早已告訴方凡，她一時正放學。說好了今天一起吃午飯，為何他仍未來電相約？

「Miss Leung！Miss Leung！請你出來吧！」

兆兒抬頭望望教員室門口，舊學生恩嘉正向她招手。

站在門口談話仍可聽見電話鈴聲的吧？

兆兒走到教員室門前。「好嗎，恩嘉？何時從加拿大回來

的？」

「前天回來的，今天忍不住來找你。媽媽託我帶一條絲巾給你。」

「啊！太破費了！我不能收！」

「你一定要收下！媽媽說很感激你以前常替我義務補習，把你結識男朋友的時間也剝削了。」恩嘉俏皮的道：「我和媽媽都很關心你。你現在有拍拖嗎？」

「沒有呀！」兆兒爽快的道。她和方凡剛認識當然未到達拍拖的階段。將來怎樣，不曉得了。

「真的沒有？唉，Miss Leung。你也有廿四歲了吧！外貌不差，人又好，為何仍未拍拖呢？我不相信你沒有追求者，是否因為你要求太高？」

恩嘉連珠炮似的問題，兆兒不知如何解答。

「梁兆兒，你的電話響了！」有同事高聲道。

「對不起。恩嘉！遲點再跟你聊！」

兆兒飛奔回教員室接電話，聽到方凡的聲音，心裏激盪着喜悅。持電話的手在微微抖動。

兩人相約一時半在Starbucks見面。

午飯時間，交通擠塞得很，兆兒呆在小巴裏，剛才恩嘉的話又在耳畔響起。

「你也有廿四歲了吧！為何仍未拍拖……」

兆兒性格文靜內向，小學、中學都在女校讀書。大學一年級時才有男朋友。未幾，他隨家人移民，愛苗培植不起來。兆兒一直沒有拍拖。畢業後執教鞭，每天對着活潑可愛的學生，她並不感到寂寞。假期時與同事或舊同學相聚，替學生義務補習，上進修課程，看看書，織織毛衣，日子便這樣過去。

沒有戀愛的生活，不見得淡而無味。可是，母親催促的語調愈

來愈沉重了，加上兆兒年紀相若的友輩陸續婚嫁，或在蜜運中，閨友談心、聚會漸稀疏，她開始覺得有拍拖的渴求。然而，在狹窄的工作範圍與社交圈子裏，罕能找到合適的對象。熱心的保險經紀淑瑤自動請纓來幫忙。她擁有不少客戶，方凡便是其中之一。

「他今年三十三歲，在英國讀醫，回香港後一直在醫院工作。樣子挺俊俏，斯斯文文，和你極相襯！」淑瑤猶如收足他的傭金，大力推薦。「他不吸煙、不賭錢，無不良嗜好！」

「嘩！條件優越。為何仍是單身？」

「他嘛！」淑瑤頓了一頓才道：「曾結過婚，去年離婚了。」

「啊！」兆兒驚訝的道：「為什麼要離婚？」

「他曾跟我提及。問題在於他太太，她事業心太重了，完全不理家，又不想生孩子，便導致離婚。方醫生待人隨和，沒什麼不妥。」淑瑤努力遊說：「怎樣呀？見見面，了解一下他的為人吧。」

相親是尷尬的事，雙方都知道彼此抱着求偶目的而來。縱使老朋友做中間人，仍頗覺難為情，奈何這是最直接結識朋友的機會，兆兒只好硬着頭皮答允應約。

方凡穿著T恤牛仔褲，隨意灑脫。他身形高大，戴金絲框眼

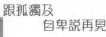

鏡，樣貌端正儒雅，笑起來一臉孩子氣，比實際年齡年輕，哪看出離過婚呢。大概他深知這優點，因此常露笑容，笑得開懷燦爛。

兆兒一踏進餐廳，便看見方凡揚手召她。

「Miss 也遲到，該罰企五分鐘。」方凡促狹的笑道，活脫是個大男孩。

兩人閒聊中說到以往的戀愛史。兆兒就只有這麼半次，三言兩語交代了。方凡的戀愛史始自小學六年級，延續至大學，數目之多恍如天上繁星，可是他卻省略了與前妻的相識。

許是創傷未癒吧。

他與太太的交往、相戀、結合及離異，兆兒當然好奇，但現階段不便查究。

怎料在方凡駕車送她回家途中，他卻無意中提起。

「這間是我的母校。」兆兒指指經過的一間女子中學道：「校長希望我回去任教，但我已跟現在的學校簽了約。」

「校長想你回歸？那你一定是個成績好的乖乖女！」

兆兒微笑不語。

「我的前妻讀書一向都好，做事也好。她對長輩好、親友好，誰人都好，獨是對我不好。」方凡忽冷冷的道。兆兒怔住了，竟有

聰明剔透、上下和睦的女人，卻是惡待丈夫的！

「人家看我倆家境相若，既是大學同學，又各有事業……偏偏就是合不來。」

兆兒想起一位朋友，她漂亮能幹，古道熱腸，也離婚了。她曾說：「八字相剋呀！沒得救！」

兆兒故作俏皮說：「大概你們八字相剋啦！」

「對啦！我媽媽都是這樣說！」方凡苦笑道：「我不是故意向你發牢騷的。對不起！」

「不要緊！你比我明白，人在適當時候把情緒發泄，才會健

康。」

「這不是適當的時候。」

「可我是適當人選。」兆兒微笑道：「通常人不會毫無選擇，亂發一通的吧！」

「是嗎？」方凡詫異的笑道：「既然你是適當的聽眾，我以後要多找你了。」

兩人就這樣開始約會。

方凡在醫院的工作時間不定，有時值早班，有時值夜班，間中還要通宵工作。他住在醫生宿舍，兆兒要找他，只能通過傳呼台或

留言。因為不清楚他當班時間表，又恐怕騷擾他工作或休息，唯有等候他來電邀約。

自此，兆兒每天放學回家，便一邊批改作業，一邊等方凡的來電。朋友的約會她多數推掉，一心一意等待那最重要的，未知的約會。

等待的心情是複雜的。此刻他身在何處？做些什麼？面對什麼人？有否想起我？他累嗎？睏嗎？心情煩悶嗎？會憶念我倆相聚時的歡欣，來沖洗此刻的疲勞、焦灼嗎？

應該會吧。每次，方凡來電都是愉快的。

「你的聲音對我來說有化學作用。」方凡道。

他對她同樣有化學作用。他牽引着她每一條神經、每一個細胞。她也不明白為何自己會被這相識不久的人弄得神不守舍。是他討好的外表、風度、受敬重的專業、莊諧得體的談吐？抑或純粹因為他豐富的人生閱歷？

一個星期天晚上，方凡約兆兒共進晚餐，然後帶她到他的醫生宿舍，駐院的醫生都獲分配一個獨立房間，推門而進只見一個大櫃和一張牀。

「隨便坐吧！」方凡揚揚手。

兆兒四面環顧，小小的房間只有一張放滿衣物的木椅。兆兒只好坐到牀沿。

方凡遞給她一杯水，然後繞到牀前，把剛租回來的影碟放進影碟機裏。

「不如索性坐上來吧，舒服點兒！」他跳上牀，挨着牀頭，拿着遙控調校音量。她遲疑了一會，才脫掉鞋子，小心翼翼的把雙腳移上牀。她的裙子短，雙腿一彎起，裙腳便退至大腿中央。她慌忙把被子拉過去遮着。

方凡把枕頭斜放在牀頭，拍拍兆兒的肩道：「挨到枕頭上

吧！」

兆兒搖搖頭，雙眼瞪着電視熒幕，卻什麼也看不進去。

畫面冰靜漆黑，忽地轟的一聲，片中女主角墮進一個陷阱裏。

「呀！」兆兒猝然一驚。

「哈哈！你沒事吧？」方凡笑起來，輕撫她的頭髮。「來！坐近我身邊！」

她還是動也不動。方凡索性坐前去，擁着她的肩。

「這樣可不怕了吧？」方凡低頭問道。

兆兒震了一震，仍不動聲息。她緩慢地呼吸，感受被擁抱着的

溫軟輕柔。她的肩背抵着的是個厚實寬闊的胸膛。她閉上眼睛，祈願這輩子永遠在他的擁抱下生活，她相信這生將全無顧慮。

翌日，兆兒把昨晚的事告訴好友敬虹。

「你和他認識了多久？」敬虹問道。

「兩個星期。」

「你不認為這來得太快嗎？」

兆兒沉默了。

「你對他認識有多深呢？」敬虹關切的道：「我覺得，你要對他多作了解。我並不是存有什麼偏見，你要小心謹慎，要清楚他離

婚的原因。」

「他曾說過，彼此個性不合，也聽說她妻子事業心太重。」

「許多人都歸咎對方，豈會承認錯在自己呢？可惜我們只聽到片面之詞。」

兆兒無奈的笑。

「你似乎對他頗有好感。請記着，動感情之前要多了解這人，太急進的話，我怕你會後悔。還有，下次見面，換個地點吧！別再上他的宿舍了。孤男寡女共聚一室，很易惹火呢！」敬虹一臉認真的道。

「昨晚我們只是一起看影碟罷了！」兆兒坦白道。

「今次到此為止，下次誰能想像會發生什麼？你這個純情少女，不要叫我擔心你！」

剛踏進家門，兆兒便接到方凡電話。

「想念着你，今天可好呢？」

聽見方凡柔和的聲音，兆兒每個細胞都充塞着喜悅。

「我一會兒要開會，今晚陪我吃晚飯好嗎？然後上來我宿舍……」

「不！我不能上你宿舍！我今晚有很多卷要批改！」兆兒慌忙

找藉口推搪。

「上來一會兒也不行？」

兆兒硬起心腸來。「我不想上你宿舍……」

「對不起！」方凡忽道：「我要立刻回急症室，遲點再找你！」

放下電話，兆兒有點不安。

他真的有急事？還是因為我不肯上他宿舍而生氣，立刻要掛線呢？

昨晚，他擁着她，挨在她耳畔連聲問道：「你開心嗎？」兆兒

輕輕笑起來，他把她擁得更緊，那感覺非常真實。

若果他真的對我不懷好意，昨晚兩人共處一室，為何他不把握機會呢？或許，他是個正人君子，我不應該懷疑他的誠意。到底是個受過創傷的人，需要別人額外的愛與關心，我這樣硬繃繃的推說工作忙，無暇見他，實在太冷淡了。

晚上十時左右，方凡再來電。

「Miss Leung，改完卷沒有？」

聽到他輕鬆愉快的聲音，剛才的憂慮一掃而空。「差不多了！你現正在做什麼？」

「我去了健身室做運動。」方凡吃吃笑道。「這兒美女如雲，我早該多些來！」

「好呀！你去吧，不要緊！」她沒好氣的道。

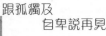

「真好！我最喜歡大方的女孩子。」方凡笑道：「最好是又大方又乖。你算乖嗎？」

「我究竟乖不乖，我父母最清楚，你問他們吧。」

「好。我半小時便會到。」說畢他立刻掛線。

兆兒呆了半晌，才懂告訴父母，方凡要上來拜候。兩老萬分緊張，問了許多話。她母親笑着埋怨她：「怎不早點告訴我們，你交

了個醫生男朋友呢？」

方凡準時到來，還買了餅及生果，一直恭恭敬敬，微笑有禮的跟她父母閒聊。看着兩老的笑臉，兆兒知道父母甚欣賞方凡。

子夜剛過，兆兒躺在牀上，一直眨着眼，忽接到方凡的電話。

「想着我。睡不着嗎？」方凡嘿嘿的笑道：「怎樣呀？你父母對我有何印象？」

「想是不錯吧！我媽媽說你相貌端正，又笑容滿面，平易近人。」

「真好！順利過關！我父母那關則不易過，他倆要求甚高

的！」

「我不至於不及格吧！」兆兒有點受侮辱的感覺。我兆兒的條件不差，品貌端正，賢良淑德……難道我算高攀了他？

兆兒不敢問方凡究竟會否安排她與其雙親見面，她害怕他的答案將會令她失望。認識了方凡以來，她多了許多喜悅，但擔憂亦緊隨而來。

他發覺方凡原來很迷信占卜命理。他曾說過：「我前妻在結婚前不肯跟我去推算時辰八字，結果離婚收場。不如你把你的時辰八字給我，讓我拿去相命先生處算吧。」

「倘若我倆的八字相剋，又如何呢？」

「花些錢，弄些趨吉避凶方法囉……到時再算吧。」

儘管兆兒不相信占卜命理，她還是依順的把「八字」交了給方凡。

自此，她心裏多了一個疑問：如果推算結果顯示我倆相剋：萬凡可會放棄這段感情？要是他執迷不悟，即使結合了，那是個嚴重的陰影，影響婚姻生活的。她便主動問他，他皺眉道：「我這幾天很忙，哪能抽時間去辦呢？」

她遂提議：「我有位舊同學的叔父是相士，可以幫忙，不如把

你的『八字』交給我吧！」

「不！絕對不可以！」他堅決的道。

「為什麼？」

方凡頓了一頓，沉着聲道：「我不想讓你知道我的時辰八字。」

「怎麼？」她大惑不解。「你卻可以知道我的？」

「我怕你會向我落降頭。」他沉着臉道。

「方凡！」兆兒只覺急痛攻心。她不相信面前這個她心儀的男人，竟會說出這樣的話。

「你竟這樣想我？你以為我會這樣嗎？我是這樣狠毒的女人嗎？」她搖着他的手，連聲問道。

方凡低下頭，冷靜的道：「我只是說笑罷了，你用不着這麼緊張。」

方凡始終沒有再談算八字的事。他對女人沒有信心，還是單單對我？他生怕我會害他？我哪有理由要害他呢？還是，他自知會傷害我，怕我將來報復？

兆兒心裏掠過一絲恐懼。

他究竟是個怎樣的人？

方凡數次來電相約，碰巧學校考試期間，她要埋頭改卷，無暇亦無心應約。但他卻不就此罷休。

「今個周末是我生日，我特別調上早班，下午四時後便有空了。跟我吃晚飯，和我慶祝，好嗎？你不忍心讓我獨自過生日吧！」

面對心喜的人，她還是敗下陣來。

連續幾天，她足不出戶，在周末前改畢所有卷子。怎料方凡卻在生日那天患上感冒。

「要不要我來陪你？」兆兒在電話中問道。

「你不怕傳染便來吧。」他的聲音微弱沙啞得可憐。

「我立刻來。」剛放下電話，兆兒便有點懊悔。不是說過不再單獨上他宿舍嗎？但，生了病的男人，想也不能夠做出什麼吧？

病榻上的方凡，像隻溫馴的綿羊。

「方醫生，病人情況怎樣呀？」兆兒摸摸他的前額，只是微微溫熱。

「不太妙，恐怕過不了今晚。」方凡捉着兆兒的手，以面頰輕揉着。

兆兒一於跟他玩下去。她坐到牀沿，趨近他再問：「這麼嚴

重？他患了什麼病？」

「這病叫單戀，他戀上了一個Miss。」

「是嗎？這事怎樣發生的？」

「他們兩人有緣相遇了。他即時覺得：就是她了。於是他就開始生病，而且愈來愈嚴重。」

「那有什麼藥可救他？」

「沒有，那是絕症。除非Miss 願意跟他患上另一種病，他便可免一死。」

「Miss 要患什麼病？」

「那病叫相戀。只要Miss點頭，病人便可逃過大難，否則，他只有死路一條。」他把兆兒的手拉進被褥裏，兆兒一驚，把手縮回，手指上已多了一枚小鑽戒。

「Miss，救救我吧！」方凡拉着她的手，吻了一下。「我是真心要你救我的，收下它便是救了我。」

「今日是你生日，倒要你送禮物給我。」兆兒輕撫他的臉，問：「你獲救後想怎樣？」

「我不太貪心，只想與你建立一個家庭。雖然我是醫生，但並不太有錢，你和我一起，要先捱一段日子……」

兆兒雙眼潤濕，淚水徐徐流下。她以手拭臉，手上那枚戒指劃在她柔軟的面頰上，隱隱刺痛了她。

翌日，兆兒放學回家，立刻煲了一窩粥，然後去電傳呼台找方凡，他卻沒有覆機。

大抵睡着了，不能回覆。

她看着手上那枚鑽戒，燈影下閃閃發亮，像少女的心，晶瑩通透。

她的心，別人一望便看得通透。方凡的心則被重重鐵皮完全密封，要掀開窺看也無從入手。

近晚飯時間，她兩次去電傳呼台，守候，沒有回覆。怎樣了？感冒嚴重了，連覆電話也不行？傳呼機壞了，接收不到我的傳呼？人家說，若兩人關係密切，心靈的感應會十分準確，但兆兒完全感受不到方凡心靈的訊息發放。他可知道此際她憂心如焚？

晚飯時，她心不在焉的光扒着白飯。電話忽響起來。

「Hello！你Call我？」那邊傳來方凡的聲音。

「我致電你多次！你往哪兒去了？」

「我病好了，精神不錯，便來了上跳舞課。」

她心裏有點氣。她憂心慼慼時，他正與人翩翩起舞。

「我跳舞時把電話放下，不知道你Call我。」

「我煲了魚片粥給你。」

「是嗎？今晚把粥帶來我宿舍吧。」

十時左右，兆兒來到他宿舍門前，裏面傳來搞笑電視劇的例牌笑聲。「哈哈哈……」方凡的笑聲夾雜其中，宛如小孩子般開朗傻憨。

婚姻破裂的傷痛在大半年間便消除淨盡？或許，那段婚姻的受害者根本不是他，而是他太太。到底兩人之間發生了什麼事，要導

致離婚？原來，我對他的過去一無所知。

兆兒佇立良久才敲門，他笑着把她迎進去。她默默把暖壺打開，把粥倒進碗裏。他繞到她身後，抱着她的腰，輕吻她的臉道：

「你真好！」

「趁熱吃吧。」她不動聲息的。他把她扳過來，再吻她的臉。

她低頭又道：「快吃粥吧。」

「一會兒再吃。」方凡把她貼在懷裏，貪婪的吻她的頸，兆兒拚命躲開。「不要呀！」她掙扎着要推開他。混亂中，一碗粥被碰跌了，燙到了方凡的腳。他大叫起來，手一鬆，兆兒旋即站起，往

門口跑出去。

她急步走，外面下着陰冷的小雨，行人持着傘，木着臉在她身邊擦過。人潮中，她的心冰涼如鏡。

剛踏進門，父親便道：「方凡來電，叫你立刻覆他。」她虛應了一聲。

「怎樣呀？你和方凡沒事吧？」母親關切的問。

「沒事。」兆兒咬咬牙，筆直的走進房間。才關上門，淚水已滔滔湧出。

她沒有覆方凡，他也再沒來電。幾個晚上，她哭得無法成眠，

幾乎要立刻衝去找他，但最後還是按捺着。

兩人想要的畢竟不同。她盼望的男女之愛是以彼此尊重、坦誠溝通為基礎，而他追求的是肉慾的滿足，她絕對不能給予他。趁她未泥足深陷時，作個了斷更好。

感情總是易放難收。每次腦海裏湧起以往相處的一幕幕，眼淚便毫無防備的流下來。有時電話響起，她便期望那是他，但倘若真是他，又怎樣呢？兩個無法相處的人，勉強走在一起，會有怎樣的結局？

三個月後，兆兒接到方凡的電話。

「你怎樣呀？」他的聲音裏滿是關切之情。

「我很好。現正進修暑期課程，閒時看看書，生活不錯。」

「我開了間診所，一星期工作七天，十分辛苦。不過，創業就是這樣的了。有空來我診所看看，我給你地址。」

「多謝你的邀請。但我很怕看醫生的。」

方凡乾笑起來，半晌才問：「掛念我嗎？」

「掛念。但我不敢再見你。」

「這句話，我前妻曾跟我說過。你和她真的有不少相似的地方。」

「就是因為這樣，你無法尊重我，認真愛我？」

「誰說我不尊重你？」

「對不起，你尊重別人的方式，我難以苟同。」

他嘆了口氣。「其實我和前妻離婚，是別有原因的。我從沒告訴任何人——」

「這是你和她之間的事，請勿告訴我。」

「你是個特別的女孩子。」

「我只是個普通人，有感情，有盼望，對愛情有執著。我曾愛過你，亦期望你能同樣對待我。然而，你有你的渴求，我有我的界

限。雖然愛你，但婚前我絕不能作那方面的付出。希望你能尊重我的意願。你那種愛的方式，我不能接受，你明白我意思嗎？」

「完全明白。你的確是個特別的女孩子。」方凡頓了一頓，才道：「再見了。」

兆兒深深吸了口氣，仰頭望出窗外。天空碧淨無雲，是個晴朗的好日子。

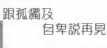

不愛家的女孩

我是一個平凡的人，配有一個平凡的名字——惠萍。我的故事亦是普通之極。發生在我身上的事，在現今的香港，時常可以見到。但當我把我的事寫在周記裏時，老師告訴我，她看後非常感動，兼且哭了。她甚至請我在一個以「家庭」為主題的全校性活動裏，向同學分享我的故事。

或許你也想聽聽我的故事。且讓我從頭說起吧。

我本有一個完整的家庭，但父母在我兩歲左右便離婚了。媽媽跟她的男朋友遠走高飛，剩下我和爸爸相依為命。

爸爸是的士司機，根本沒有時間照顧我。幸好嫲嫲搬來與我們同住，把我「湊大」。

嫲嫲非常疼愛我。幼時我本來體弱多病，瘦得像是永遠也長不大。嫲嫲煮許多美味又有營養的食物給我，養得我白白胖胖，她自己則依舊瘦骨伶仃。兩人在公園走動，就像一枝竹桿叉着個大皮球。

街坊見了，都笑着跟嫲嫲道：「袁婆婆，你真疼萍萍了，把自己的一份也全給她吃！」

嫲嫲笑笑，依舊每餐把我餵得飽飽的，彷彿要以大量的食物來補償我失去的母愛。

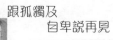

嫲嫲給我的愛能否替代母愛呢？我想可以吧。母愛是怎樣的？我根本不知道，因此無從比較。我只知道嫲嫲對我來說非常重要，沒有人能取代她在我心目中的地位。因此，當我的新媽媽到來時，我完全不放她在眼內。

那一年我六歲。某個晚上，大伙兒出去吃飯。全枱陌生人之

中，她穿得最搶眼。全身紅光閃閃的，連一對耳環也是嬌艷的鮮紅。

吃飯後，大家散去了，她卻跟着我們回家。

下車時，她硬要拖着我。她的手冰冷無比，又濕淋淋的，令人很不舒服。我立刻甩掉她的手，回去拖嫲嫲。嫲嫲的手粗大溫暖，給我極大的安全感。

回到家裏，爸爸跟我道：「萍萍，這是你的新媽媽，以後要聽她的話呀。」

我瞧瞧這個紅閃閃的女人，由頭至腳沒有一處討我喜歡。我轉

身要走，爸爸捉着我，硬要我叫她媽媽。我老不情願的喚了一聲，她便笑着過來抱我。那陣濃濁的香水味混着體臭襲過來，中人欲嘔。我狠狠把她推開。她驚愕的瞪着我，一張嘴呆張着，可憐盼盼的。

我也不知道為何會一次又一次的拒絕她。或許，她與我心目中的母親形象不吻合吧。

我理想中的母親，是漂亮大方的，有把長長的頭髮，軟潤的雙手，輕柔的嗓子，清幽脫俗，像電視廣告裏賣化妝品的女子。若果有個這樣的母親就好了。

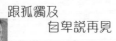

可是，爸爸找回來的這個女人，頭髮粗且硬，方臉寬額，兩顆眼睛小得像兩粒米。而且高頭大馬，比爸爸還要高出一個頭。兩人站在一起，完全不合襯。

鄰居有幾個可惡的孩子，在背後叫他們做河馬和企鵝，叫我做「企鵝妹」。為此，我曾跟其中一個男孩子打架。我身材雖矮小，但肥大兼孔武有力，一拳便把那男孩子打得臉上一塊瘀黑。

他哭喪着臉回家告狀，他媽媽便領着他來我家大吵大鬧，要求賠償湯藥費。柔順的爸爸為求息事寧人，答允賠償。但我後母卻堅持不付她分毫，並跟她理論。

結果怎樣，我忘了。但事後並沒有人斥責我。他們都明白，錯不在我。

自那事件以後，我開始對後母沒那麼抗拒。每次她逗我説話，我都理睬她。她的笑容比以前多了。與此同時，她的肚子也一天比一天大。

在我生日那天早上，她攬着大肚子直叫痛。爸爸和嫲嫲慌得很，七手八腳把她送進醫院。

那個生日可算十分難忘。一整天我們都在醫院。爸爸和嫲嫲愁眉深鎖，我問什麼，他們都不搭理。我發脾氣，嚷着要回家，爸爸

被我吵得惱怒了，跳起來想打我，但沒有下手。

那是爸爸第一次想動手打我，那樣子兇極了。

沒多久，後母便回家，還帶了一個女嬰回來。那是我的妹妹惠貞，跟我同月同日出世。

家裏多了個成員，家人卻並不因此而興奮。各人反而收斂起笑容，後母更常躲在牀上啜泣。我把這告訴嫲嫲，她只是搖頭嘆息。

是妹妹有毛病。我忽想到這。

一定是了。究竟她有什麼毛病呢？

表面上，妹妹沒什麼異樣，一樣會吃，會睡，哭起來聲如雷

轟。但當我拿玩具逗她玩時，她全無反應。我才知道，她原來是盲的。

我不能想像，盲人的世界是怎樣的。那時的我，也不懂得同情妹妹、愛護她。我反而開始痛恨她。恨她令我的家變得愁雲慘霧，歡笑聲不再。恨她令全家人的注意力都集中在她身上，忽視我的存在。

我從沒試過這樣痛恨一個人，而這個人竟是我的親生妹妹。

我的痛恨積壓在心裏，無從宣泄。我漸漸變得脾氣暴躁，甚至蠻不講理。身邊的人，除了嫲嫲之外，全都惹我討厭。

我常無故大發脾氣，與人吵嘴，一天到晚都板着臉，一副憤世嫉俗的樣子，彷彿所有人都冒犯了我。

我在學校的朋友愈來愈少，最後，連我的死黨也要跟我絕交。我成了「校園獨行俠」，天天獨來獨往，孤寂非常。

不知道是有同學投訴我的態度，還是我的班主任自己察覺到我的改變，她主動來找我傾談，問我家裏的情況。我一直守口如瓶。我覺得，告訴她也沒有用。她和我不同，沒可能了解我的心情。

在我十三歲生日那天，也是我妹妹的五歲生日，我與後母大吵了一場。那天，我大清早便溜了出去。反正沒有人記得我的生日，

我便獨個兒慶祝。

我百無聊賴地逛了一整天，晚飯前才回家。方踏進家門，便傳來一陣尖銳的喝罵聲。

「你自己說呀！天地良心！我沒有說錯！」後母指着嫲嫲，瘋子似的狂罵：「你根本不當惠貞是你的孫！你算是……」

「你幹嗎罵嫲嫲呀？」我怒道。嫲嫲是我的至愛，我絕不容許任何人欺負她。

「我罵她，不關你的事！」後母也不甘示弱。

我怒火衝天，真想上前去揍她一頓。這時，我瞧見站在後母身

後的爸爸。矮小怯懦的他，縮在一角，垂着頭，緊閉着嘴，容許這個巴辣的女人欺淩我和嫲嫲。

「你以為你自己是誰？你連罵我也沒有資格呀！」我大着膽子，步步進逼。

「惠萍！不要這樣！」爸爸像是哀求似的道。

原來他是幫着後母的。

「我說得沒錯呀！你不是我親生媽媽，我沒有必要服從你！」

看着後母的臉發青，我得意起來，衝口道：「我不稀罕你當我媽媽！只有你那盲女才會叫你做媽——」

後母上前摑了我一巴掌。我發狠地瞪了她一眼，然後衝出家門。我聽見爸爸苦苦叫着我，我頭也不回的跑着，在街上兜圈，兜來兜去，還是在離家不遠處。

我雙腿痠痛極了，真想就這樣累死，倒在路邊，什麼也不用煩。

我走到附近的一個籃球場，甫坐下便倒頭睡去。矇矓中聽到有人叫我的名字。

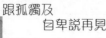

是爸爸。

他以一貫柔弱的聲音叫着我。我一張眼便看見他，在籃球場入

口處四顧尋覓，他竟然看不見我，掉頭走了。

自從後母來了我們家以後，爸爸便什麼也看不見，聽不到，傻包似的，全無一家之主的威嚴，連維護我和嫲嫲的勇氣也欠奉。我痛恨他的懦弱，討厭他的膽小怕事。

我默默看着爸爸矮小的背影遠去了。他活該受個教訓，就讓他擔憂一下吧。

我在籃球場睡了一晚，翌晨回家，家裏只剩下嫲嫲。爸爸和後母如常上班去。

嫲嫲沒有罵我，也沒有問我些什麼，只盛了碗麵給我吃，然後

說要帶妹妹去看醫生。

我獨自在吃着淡而無味的麵，環顧這個我長大的地方。這個家沒有了我，一切如常。我的存在，了無意義。

我變得不常回家。

尖東一帶成了我晚上消磨時間的好去處。我愛在海旁觀看一對對戀人卿卿我我，成群的男女追逐耍樂，或如我般孤寂的人獨自在散步。

偶爾會有些男孩子前來跟我搭訕，相貌不差的，我會跟他聊一會，但每當他們邀我回家過夜，我便不再理睬他們。我可不是「老

泥妹」呢！

一晚，我在海濱公園碰到了我校的訓導老師。

「那麼晚了，還穿著校服周圍跑？！你幹什麼呀？」

我低下頭，不吭聲。

「明天請你一回到學校便來見我。」她道。

翌日，我索性逃學。到碼頭乘渡輪來來回回坐了十多遍。海風不大，但偶爾撲打到臉上、頸上，卻像雪般冰冷。

下了船，我頭痛發熱，便到碼頭附近歇息，一睡便直到傍晚。醒來時我渾身抖顫，四肢發軟。我死撐着回了家，倒在牀上便不醒

人事。

醒來時，後母就在眼前。她的身子俯向我，一雙小眼睛流露關切之情。我忽然想喚她「媽媽」，但還是拚命忍着，忍得雙眼潤濕起來。

「吃些東西吧。」後母端來一碗粥，擱在我牀沿。那碗熱騰騰的粥香甜無比，至今我仍未忘記。

嫲嫲回鄉探親了，因此我發高燒臥病在牀的那幾天，都是由後母照顧我。生病時，兇悍橫蠻的我也變得柔弱溫馴。

在我的燒全退後的一晚，我與家人一起吃飯。印象中大家已很

久沒有同枱吃飯。爸爸特地買了燒味回來，吃過飯後才去上班。

待妹妹上牀後，我和後母在廳裏看電視。她切了幾塊西瓜，兩人一邊吃一邊聊着，儼如一對真正的母女。

「這個西瓜也是你爸爸買的。全家只有你喜愛吃西瓜，他就買了一大個回來。他真的疼你。」後母道。

我默默的吃着，一份內疚感在心底徐徐升起。

「你生日那天，他為你和妹妹訂了個生日蛋糕，準備下午去取。怎料你大清早便溜了出去，惠貞又病了，計劃便告吹。晚上，你又發脾氣，離家而去。他通宵達旦找你，到天亮時才在籃球場

發現你正熟睡，不敢喚醒你，生怕你又會跑掉，於是便守護在你身邊，直至你醒了，才急急離去。」

「他從沒有告訴我呢！」我驚道。

後母搖頭嘆道：「你根本不願意靜心聽人說話，他怎跟你說呢？」她續道：「那次我和你嫲嫲吵架，你一回來，劈頭便罵我，完全不清楚事情的因由。那天早上，你妹妹病了，我因為要上班，便着嫲嫲帶她去看醫生。她卻只給你妹妹吃些成藥，便撇下她，自己去了打麻將。我回家時，只見你妹妹躺在牀上哭。我真的很心痛兼惱怒，才斥喝你嫲嫲。我絕非無理取鬧的人。」

「怪不得那次我跟你吵起來時，爸爸會幫你！」

「你爸爸是幫你才是！當我摑你一巴掌後，你衝出家門，他也立刻賞我一巴掌，兇兇的道：『她是我的女兒，你不能夠打她！』可是，你看不到罷了！」

我呆了許久，真難想像爸爸會為我而出手打後母。

「你有許多事情也不知道。當初你爸爸求我嫁他時，不也是為了替你找個媽媽嗎？我和你爸爸其實並不相襯，性格也截然不同。我願意嫁給他，有幾個原因。一來，我也離過婚，再婚機會算是難得。二來，你爸爸如此疼愛你，想也會是個盡責顧家的好丈夫。三

來，我是因為同情你。我不忍心看見一個年紀這樣小的女孩子沒有媽媽。」

我低下頭，淚水涓涓而下。

「我很希望做你的好母親，然而，你一開始便拒絕我，令我很傷心。但我還是盡力令你改變對我的成見。當大家的關係開始轉好，惠貞便出世，一切也改變了。我花了許多時間才能接受女兒天生盲眼的事實。那段時期，我極度痛苦。我的確是疏忽了你，但請你嘗試體諒我的心情。」

幸好上天給我機會，讓我能夠與後母詳談了一夜。否則我不會

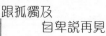

知道，原來自己一直身在福中不知福。家人對我的疼愛，我竟不懂收受，反而作出無數次忤逆行為，令家人傷心。

現在我才明白，幸福不是必然的。能擁有幸福，便要好好珍惜。那夜詳談之後，我正式稱後母為「媽媽」，也一直待她像媽媽。我對爸爸亦變得尊重、孝順。我要彌補以往所虧欠他們的。我也開始學習照顧我的妹妹惠貞，她比我更需要家人的愛與關懷。

「人要懂得接受，更該懂得施與。」如今我才真正體會這兩句話的意思。

跟孤獨及自卑說再見

一、車廂裏的倒數

二零零四年十二月三十一日晚，小宇和爸爸站在尖沙咀海旁眺望維港。夜幕下，海面像一匹繡上金銀圖案的巨型黑布，在月光映照下，泛出閃閃的光。

小宇在北京的老家，並沒有這樣迷人的海港夜景。不過，他還是非常懷念老家的一切。

十一時了，接近零時。小宇和他爸爸倚着海旁的欄杆，三面都圍着人。熱烘烘的人氣，鬧紛紛的人聲，就在耳邊，卻那麼陌生；維港對岸百家燈火那麼耀眼，卻那麼遙遠。

小宇輕嘆了口氣，跟爸爸道：「我們回家吧！」

「回家？」爸爸反問道：「你不想留下來跟群眾倒數嗎？還有大概半個小時便到午夜了，聽說一起倒數會很有氣氛呢！」

「不用了！爸爸，你今天工作了一整天，一定很累。我們還是

回去吧。」

他倆坐在公共汽車上層。

入冬了，車廂仍是冷氣開放。冷冷的粉紫座椅，冷冷的黑膠扶手，冷冷的玻璃窗。這麼冷，爸爸還是剛坐下沒多久便沉沉睡去。

可想而知，他有多疲倦。

小宇早已跟他說過，生日罷了，「大個仔」啦，慶祝與否，並不重要。不過，爸爸還是一下班便把他從家裏拉到尖沙咀來，和他欣賞人人讚美的維港夜景。

過去——每年的生日，小宇都在北京。爸爸媽媽、爺爺奶奶、

姑母、叔父等都伴着他。每年的生日，他都在大家的祝福聲、笑聲中度過。

今天，他十一歲了。早上起來，爸爸已上班。九時左右，媽媽和奶奶致電來祝賀他，之後的十個小時，有課本、作業和筆記跟他作伴。下個月便是小宇來港後的第一個考試，他要全力以赴。

車子一轉彎，爸爸身子一傾，整個上半身就倚在小宇肩上、臂上，他可以完全感受到爸爸的疲憊。幾個小時之前，爸爸一下班，便興致勃勃地跟他道：「我想帶你往尖沙咀走一趟！你來港數個月，也沒有去過什麼地方遊玩。」

其實，來港以後，小宇全副精神已放在學業上，哪有空餘時間玩樂。他不覺得有何損失，因為，他不想落後於人。如果讓他選擇，這晚他只想留在家繼續溫習。不過，他不想掃爸爸的興，便雀躍地道：「好呀！好提議！我現在立刻去更衣！」

車子在交通燈前停下。三五成群的人擠得街道插針不下，每個角落都散發着愉快的節日色彩。可這完全感染不到小宇。周圍的氣氛再熱鬧，只會令他感到更孤寂。

個多月前，他才獲批來港，與爸爸團聚。由火車站乘公車回家的一段路程，小宇見識了一個繁華鬧市的景象。灰塵滾滾的長街，

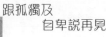

滿是人，匆匆忙忙不知為何。高高的大廈，伸出一個又一個的廣告牌，急於向你展示這城市的繁榮興盛。

繁榮城市的學校又是怎樣的呢？

爸爸替小宇在家附近的學校報名插班讀小四。

像鬧市的大街一樣，這所學校的操場也是擠滿人。四十多人一個課室，稍肥的同學，在桌與桌之間的狹窄通道行走也要側着身。老師把小宇編坐到課室的中央，他的四面八方都是人，可惜沒有一個會主動跟他搭訕。

爸爸曾說，做任何事也要採取主動，尤其是交友。小宇已準備

好，待小息一到，便作個簡短的自我介紹，並邀請同學到小食部吃零食。怎知，小息鐘聲一響，同學旋即作鳥獸散，大家急不及待的要到外面去舒展身心。

狹小的課室，瞬間只剩下小宇一人。他垂下頭，蠟亮的書桌面，隱約可見的是他自己無奈的面容。

上英文課，彷彿是去了外星留學。小宇在北京學習的英語，在這兒完全不管用。幾個月前，他在家鄉學着簡單的英文單字，現在的老師，則要求他們聽、說、寫、讀樣樣皆能。當他在猜度老師話裏的意思時，同學已能準確地回應，並用流利的英語提問。他不禁

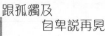

暗地問自己：我該怎辦呢？

膽戰心驚的上畢一節英文課，滿以為中文課絕對難不到他。怎知，一翻開書，映入眼簾的滿是繁體字，一個個在書海中載浮載沉，一個個似曾相識又陌生的中文字在向他招手，又或是在告訴他：「你永遠也學不會繁體字的！」

還有，老師滿口的廣東話。

無論他如何用心去聽，還是理不出個所以然。每次，老師問問題時，全班的手都舉起來了，他見狀，更加焦慮。

原來我現在是全班最差的一個。

他的心「轟」的一聲直往下墜。

轉堂時，小宇硬着頭皮問身旁的同學。

「對不起，剛才老師說的話，我不太明白。請問你可否替我解釋一下？」小宇以普通話問道。

這個同學一臉不悅的道：「剛才老師說了這麼多，我怎能全部解釋呢？」

「你只說些重點便可以了。」小宇急道。

「重點？我不懂分重點。你問其他人吧！」

小宇轉頭問身後的同學。

「哎！不要問我，我的普通話不合格的！」

「我完全不知道你在說什麼！」

看見那些皺起的眉頭，歪起的嘴角，小宇完全明白了。

求人不如求己。

那天，他到書局買了幾本初小英文練習及一本繁簡體字典。有字典的幫助，他終於明白中文課本裏的繁體字的意思，但練習默寫，仍需一段時間。至於英文練習，他由小一的開始做起。他驚訝原來香港小一的學生已要學英文時態、詞性、代名詞等。

「真的要急起直追了！」他跟自己道。

雖然心裏真的非常着急，但，要追回別人幾年所學的，絕非一朝一夕可以做到。

小宇上課的第四天，便首次嘗到默書不合格的滋味了。

在北京上學時，小宇的成績一直是中上的，默書、測驗或考試都從未失手。

怎料，在香港學校的第一次中默及英默，他都不合格。

中文默書簿右上角一個令他臉紅的分數——五十六分！這個鮮紅的五十六，像一堆紅色的繩索，緊緊的套着他的頸，令他有窒息之感。

「今次默書，大部分同學的成績都頗佳，其中十一位同學更獲一百分呢！」這個大喜訊公布過後，全班都情緒高漲，有同學開始查問或偷看別人的分數。小宇冷不防給身旁的同學看到了他的分數。

「嘩！五十六分？今次的默書範圍那麼少，你也不合格？」那同學故意扯盡嗓門，好讓全班都聽到。

各人的目光釘也似的全往他身上刺。小宇趕緊垂下頭。

「還以為他來自北京，中文水準一定很高，怎知道……」

「喂，不要那麼大聲！人家會聽到的！」

「聽到了又怎樣呢？他根本聽不懂廣東話！」

「好了！你們說夠了沒有？不可以對同學這麼無禮！」老師終於插手了，勉強平息了一場小鬧劇。

中文默書也失手，英文默書怎能倖免呢？

又是不合格。

小宇兩手把默書簿捧到眼前，偷窺似的輕輕揭到默書那頁，一瞧見那分數——五十五分，便頹然把簿擱下。

身旁的同學沒可能看到他的分數，但他們已在竊竊私語。小宇漸覺耳根至面頰都在發燙。

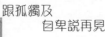

什麼是羞愧？這麼多年來，他首次嘗到了。

在北京的小宇，是老師心目中的優秀學生，同學眼中的模範生，親友眼中的全家之光。

現在嘛？他只覺給人從天堂狠狠扯下來，一鎚壓到地獄裏。

爸爸為何千辛萬苦把我帶來香港呢？我留在北京不是會生活得更好嗎？在老家，我什麼都有，優異的學業成績、永固的友誼、愉快的學校生活、滿滿的……

在香港，除了爸爸外，我還有些什麼？

「是時候了！還有一分鐘便到午夜！」

「我的哨子在哪兒？我找不到！」

「不要找了，還有四十秒便倒數啦！」

「沒有哨子，怎會有氣氛呢！」

「我要致電表姊啊，她說要在電話裏跟我倒數……」

坐在公車最後排的兩、三家人，開始為即將來臨的倒數時刻作準備，言語間滲出的歡樂氣氛，不多不少也感染到旁人。

「開始啦！十、九、八、七、六……」

轟耳的倒數聲，震撼着整個密封的車廂。

「五、四、三、二、一，新年快樂！」

車子在紅燈前停下。

街上的行人也止住了腳步，互相祝福。許多陌生的人仰起頭來愉快地向公車的乘客揮手打招呼。

「哥哥！」

一個小女孩以指尖點點小宇的肩膊道：「送你一粒果汁糖！新年快樂！」

小宇笑着接過了。「新年快樂！」

「這粒給你爸爸的，一會兒他睡醒了，便給他吃。再見！」小女孩蹦跳着又去別處派糖了。

那顆被喚作「雪花」的果汁糖，含在口裏，竟會散發暖意，真的不可思議。

二、五十六分也好？

新年的第二個星期一，有英文默書。那是小宇最擔憂的。每個生字，他都要寫至少三十遍才勉強記熟。爸爸買了些學國際音標的書及光碟給他，他看了，卻不太明白。結果都是用抄寫方式強記。還有一項是小宇最害怕的，就是課外讀默。任憑他如何絞盡腦汁，還是不能想到那些字的串法。想了一會兒，老師已讀下一句了。

在小宇換好校服，準備上學時，媽媽來電。

「小宇，我取得雙程證了！這個月底，我可以來香港，逗留三個月。」

小宇雀躍得大叫起來。

有媽媽在身邊，什麼難題都不再是難題了。

三個星期後，媽媽到了香港。

她到埗的下午，原本灰黑的天，竟「煙消雲散」，久未露面的陽光也出來湊熱鬧，綻放燦爛的笑容。

從火車站回家的路程也頗遙遠，媽媽只跟他閒談學校趣事和日

常生活，並沒有提及成績這「敏感」話題。

吃過飯後，媽媽終於提出這個令小宇難堪的問題。

「你在學校的成績如何？」

小宇心知，這是無法逃避的。他默默從書包取出幾份小測試卷及默書簿。

「媽媽，對不起！我已盡力而為，但成績仍然差強人意。」小宇萬分內疚，頭也抬不起來。

「好呀，小宇，非常好！」

媽媽居然讚賞他？

「好？我只有五十六分，還算好？」他奇怪。

「當然好！在中文默書裏，你努力去寫每個字，只是筆劃錯了，可你沒有漏空任何字！英文默書也一樣，你盡了全力去串每個字。雖然最終都是不合格，但有努力過，總好過完全放棄。媽媽着實為你感到驕傲！」媽媽擁着他，親了親他的額。「小宇，媽媽今次來港，目的就是在學業方面助你一臂之力。我們雙劍合璧，一定會有好成績！」

媽媽的説話、媽媽的笑容、媽媽的擁抱……令小宇對前路的擔憂和焦慮一掃而空。有最親最愛的人跟他並肩作戰，什麼也能克服吧！

媽媽跟小宇列出一個時間表。每天，小宇要默寫三十至四十個繁體字，周末便來一個總默書，鞏固所學的。除此之外，媽媽更教他運用國際音標拼寫英文生字，並一起看適合他程度的故事書，學習句子結構和文法。周末，就要溫習這星期所學的。

不消兩個月，小宇的成績已有顯著改善。中、英文默書已可以達至合格水平，常識科的繁體字也難不到他，數學科方面，文字題的字義一弄清楚，計算便成為容易不過的事情。

四月中的測驗，小宇就在媽媽的協助下努力溫習。測驗最後一天，亦是媽媽留港的最後一天。

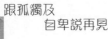

那天早上，媽媽替他煮早餐，無意的道：「媽媽可以功成身退了！」

小宇聽了，幾顆熱淚滾滾湧出。

我不能在媽媽面前哭啊！即使我哭乾所有淚水，她還是要走。還有兩個小時，她便要坐上火車，讓轟隆轟隆的火車頭，拖着長長的尾巴載她離去。下午考試過後，他回到家裏，只有一室寂靜迎接他，不會再有媽媽親切的招呼及一桌暖湯熱飯。

他又再孤獨一人。

「我對你信心十足。你一定會有極大的進步。」媽媽的聲音又

在廚房傳出。

小宇趕快擦掉淚水，深呼吸一下，止住了欲哭的衝動。

「我也認為今次測驗的成績該不會太差。」小宇轉過頭去，恰巧媽媽已把早餐端出來了。

「小宇，媽媽走了後，你記緊每個早上都要吃飽早餐才上學，知道嗎？」

「知道了。」小宇低頭吃早餐，以免被媽媽看到他那雙眼淚汪汪的眼睛。

三、得來不易的七十九分

一星期後，老師陸續在課上派發測驗卷。

「今次測驗，超過一半的同學都退步了，還有五位同學不合格，有人只有四十三分。令我很失望……」中文科老師宣布這消息時，各人的目光都投向小宇。

會是我嗎？只有四十三分的那位同學就是我嗎？不會吧，有媽媽的幫助，我已認讀了許多繁體字，我的成績還會這樣差？沒有可能的！

雖然對自己還有點信心，但旁人的切切細語和冷若冰霜的目

光，已把小宇那丁點信心徹底擊碎。

「現在開始派測驗卷。劉翠玉……陸妮……」

信心消失了，乘虛而入的是惶恐、焦慮和自卑。倘若不能獲取好成績，我如何面對爸媽呢？雖然他們這麼多年來從不責打我，只會給予欣賞和鼓勵，但，我實在愧對——

「石小宇！」老師板起的面孔忽然緩和起來。「石小宇是進步得最快的一個同學，他的分數排名全班第五！我認為大家該為他鼓掌。」

大家呆了半晌，才陸續鼓掌。

我的分數是全班第五？小宇不可置信的盯着老師，竟忘了要出去取測驗卷。

「石小宇，你不想看看自己的分數嗎？」老師笑着問他。

小宇這才醒轉過來，急急上前領取測驗卷。

七十九分！

幾個月來，每晚苦練繁體字，總算有點成績了！小宇握着試卷的雙手直冒汗，他把卷擱在書桌上，掏出手帕抹手。

「喂，石小宇，你真厲害呢！繼續努力！」

坐在他前面的同學轉過頭來，看見他的分數，壓低聲量跟他

道。

「多謝！」小宇以清脆的廣東話回了他。這一刻，他忽然覺得，他的廣東話亦在不知不覺間大大進步了。

「讓我們一起努力吧！」小宇補上一句。

這個得來不易的七十九分，就像一支強心針，為小宇注滿了信心，令他勇敢的踏上前路。

四、北京補習社？

小宇以優異的成績，成功入讀小五精英班。

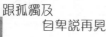

班上大部分都是陌生但友善的同學，加上小宇已練得一口頗純正的廣東話，同學們根本猜不到他來了香港只有大半年。

那天，上了一節普通話課，身旁的同學本樂目瞪口呆的問小宇：「嘩！石小宇，你在哪兒補習普通話的呢？我也要去補習啊！」

「在北京囉！」小宇咧嘴而笑。

「嗄？北京補習社？我從未聽過呢。在哪一區的？」

「我在北京補習普通話達十年啊！」小宇哈哈大笑起來。

「什麼？你是新移民？沒可能的！昨天你上英文課，可以用文

法全對的句子回答老師問題。新移民同學沒有可能做得到！」另一位同學銘燊斬釘截鐵的道。

「小宇的確是新移民呢！去年我跟他同班！」副班長美心插嘴道。「不要小看他！去年他各科都獲進步獎。」

「真厲害啊！」本樂和銘燊不約而同的道。

「去年我則科科都退步了，爸媽把我痛罵了一頓，着令我這一年無論如何也要有點進步！」銘燊道。

「我爸媽也是緊張得要命！他們說以我小四的成績可入讀精英班簡直是奇蹟。小五、小六這兩年我要全力以赴，所有『無謂』的

玩樂如玩電腦遊戲、看電視劇集也要暫停。唉！我的苦悶人生才剛開始。」本樂嘆道。

「我有個建議。不如，我們組成一個『溫習三人組』，每天小息和午飯時，一起做功課和溫習，好嗎？」銘燊提議。

「這主意不錯！你想何時開始？」小宇想也不想便問。

過了近一年被孤立、排擠的小學生活，小宇實在渴求友誼。面前這兩位友善親切的同學，會否成為他的摯友呢？

五、給媽媽的信

親愛的媽媽：

跟孤獨及自卑說再見

你好嗎？

收到我的信，是否很驚訝呢？

來了香港年多，寫給你的信只有寥寥兩、三封。每當我想起你，總是隨手拿起電話筒便撥那熟悉的數字，希望立刻可以聽見你溫柔的聲音。今次我棄電話取信紙，目的有二。一是要寄上我小五下學期的成績單影印本給你；二是我也希望用紙筆記下我此刻的所思所想。

初來香港的半年，坦白說，我並不太愉快。無論學習、交友或生活方面，都不順利。我經常懷疑：我是否適應能力太低呢？抑

或，我根本不適宜在香港生活？

我不敢問爸爸這些問題，因為，我怕令他傷心、失望。我明白他申請我來香港的原因，是希望我接受更好的教育。要辜負他的心意，我絕對做不到。

幸好，在我最需要別人在學業方面扶我一把的時候，你來香港陪伴我、協助我。後來，我才知道，原來你那三個月假期是得來不易的。

假若沒有你在我身邊替我打氣，我肯定沒有可能有今天的成績。

昨天，我從老師手上取過成績單，並接受全班同學以歡呼聲祝賀我考取到全級第一時，我最希望你和爸爸就伴在我左右，接受祝賀。

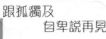

其實，我有幾科的成績，仍有改善的空間。尤其是英文一科，我只有八十五分。我有需要惡補一下。我會善用暑假，多看英文書，亦會和幾位同學一起練習英語會話。小五這年，最大收穫之一是交了幾位摯友。他們完全接納我、尊重我，直接幫助我去融入新生活。

媽媽，我還有一個好消息要告訴你。我下月中會到北京跟你見

面啊！（你有否興奮得掩嘴大叫呢？哈哈！）

讓我向你解釋一下吧。

三個月前，學校的兩位主任約見我，告訴我關於一個獎勵計劃，是由香港小童群益會舉辦的「兒童奮進獎勵計劃」。此計劃目的乃是表揚在逆境中仍奮發向上的兒童。卓主任和霍主任認為我完全符合條件，便推薦我參加。爸爸認為計劃很有意義，亦同意讓我一試。

初次遴選，入圍的有百多位來自全港數十間學校的高小學生，到第三次面試，只剩下二十人，評審委員要從中挑選十位「奮進兒

童」。初次遴選時，我有機會認識其他入圍的同學，才發覺自己面對的問題一點也不嚴重。其他入圍者，有些是殘障的、健康有問題的，或面對家庭不幸的。而我，算是比他們幸福又幸運。我面對的適應問題，只要樂觀、積極面對，自會消失。

昨天，是獎勵計劃最後一次面試的日子。我接過成績單後，便隨卓主任趕往小童群益會。面試前，卓主任叮囑我要表現誠懇、謙虛，我便聽從她的指示。在評委詢問時，我才提及自己今年考獲全級第一。我已盡量輕描淡寫，不過，幾位評委聽了，驚訝之情溢於言表。

或許就是因為成績的關係吧，我幸運地入選了，成為十位「奮進兒童」之一。（你看看，我在此處沒有用感嘆號啊。不是因為謙虛的關係，而是……好戲在後頭！）

今屆的入選者和過往兩屆一樣，暑假有機會代表小童群益會到外地進行文流，擴闊視野。至於交流地點，便是——北京！

雖然我涉足的地方不多，但若讓我選擇，我還是想返老家一趟。當然是因為，那兒有我最惦念的人。

想到快將與媽媽、爺爺、奶奶等見面，我便興奮得握筆的手也微抖。

短短幾天的逗留，行程該會很緊密，但我一定會爭取機會回家去跟你們一聚。

一口氣把心裏的話語、感覺宣之於紙，原來如此暢快。或許，我該多執筆寫信，一來可以練字，二來，你可以把我的話語一次又一次細讀。你會在每晚臨睡前再讀一遍？抑或是一直攜在身上，每念及我，便掏信出來細讀呢？

媽媽，請保重。下月我回老家時，要見到健健康康、精神飽滿的你！

兒

小宇上

小宇把信摺好，放進信封裏。看看鐘，便立刻更衣準備外出。約了本樂和銘燊呢。他倆說為了恭賀他考獲佳績，要請他到戲院看一場電影。

出門前，他把信放進背包裏。

一會兒要先經郵局，把信寄出。

走出大廈，迎接他的是炎夏灼熱的陽光和滿街的人氣車聲。

走着走着，小宇漸漸感受到，他開始愛上這個忙碌喧鬧的城

市，並感受到點點「家」的感覺。

這感覺真好。他在心裏道。

後記

第一次見小宇，是在「奮進兒童」第三次面試時。他是屬於較「成熟」的一批，說話有條不紊。談及自己成績時，他只是淡然的道：「努力了一段日子，算是有點成績。今次考試，我考獲全級第一。」評委聽了無不嘩然，他卻只是報以微微一笑。

後來，在「奮進兒童」嘉許禮上，小宇以英語向觀眾介紹一本

英文書，並簡單講述讀後感。以一位只學了兩年英文的小五學生來說，小宇的英語算是流利。難怪可以博得全場的熱烈掌聲。難得的是，成績如此彪炳，他卻非常謙虛。

跟小宇約訪問時間，「幾經辛苦」才約到一個日子。因為我本身的工作很繁忙，他又要準備大考，不願長途跋涉由粉嶺的家走到灣仔小童群益會總部。

於是，我便往粉嶺替他做訪問。

小宇十分獨立，自小四開始便自行料理三餐和上下課。長假期都是獨留在家溫習，不用爸爸掛心。訪問當天，宋爸爸非常體貼，

特地從公司折返，陪伴小宇接受訪問。

訪問中令我最深刻的是宋爸爸說：「初來香港，完全沒有朋友。兩父子在沙田新城市廣場上層往下看，只見車水馬龍，人來人往，不禁慨嘆：『人海茫茫無知己。』」

現在嘛？兩人生活安定，在自己的圈子都有朋友了。

在火車站分別後，我默默看着這兩父子一高一矮的背影。

雖說小宇既懂事又獨立，畢竟還是一個孩子。希望他媽媽可早日來港定居，免除大家「兩地相思」之苦。小宇可得到媽媽特別的照顧，便可更專注學業，再創佳績。

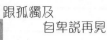

在此，我要感謝小童群益會的悉心安排，讓我可以訪問同學和其家人，撰寫這個勵志故事。

母與女

「媽，醫生說四姨現在情況危殆，我們快去醫院看她吧！」巧雪放下電話，急向坐在身旁的母親玉章道。玉章冷冷問道：「早死早着！」

「媽，你怎能這樣說！」巧雪難以置信的瞪着她。玉章揚起臉，啐道：「當初若不是她，我們好端端一家人哪會被拆散呢？哼！她這種人，早死掉還好，免得再害人害物！」

「那麼久的事，你還記來幹什麼？」巧雪輕嘆。

「記來幹什麼？這句話枉你說得出！我沒有了丈夫，都是拜她所賜——」

「像爸爸這種丈夫，不要也罷。」巧雪衝口道。玉章怒得青筋亂跳，她把手上的剪刀奮力擲到地上，顫動着的手指着巧雪，厲聲道：「他是你爸爸！他養到你十多歲……你怎能忘本！」

「他配做爸爸嗎？一天到晚只會打人，又打得狠，每次都要打死我們似的。」

「打一兩下就會打得死嗎？個個父母都是這樣教子女的啦。爸爸雖然脾氣大點，又愛喝兩杯，但始終都是負責的，每個月都有給家用，又不好賭，那還不夠嗎？你那四姨，自己的家理不來，卻去理別人的家事。那次如果不是她報警把事情搞大，你阿爸也不會跟我離婚。」

「你根本不能肯定那次是四姨抑或其他鄰居報警，或者——」

「我肯定是她！那次你爸爸打阿弟，她衝進來扯開他，說如果

他再打阿弟，她就報警。你說啦，不是她，還有誰？」玉章道理鏗鏘的道。

「即使是她報警，她都是為我們好才這樣做。」巧雪道。

「為我們好？看看現在我們住個什麼鬼地方？我呀，還要日日夜夜伏在這個縫紉機上幹活，你又要去補習賺生活費。這還算好？哼！我望她早點歸西，不要再害我全家！」

巧雪瞅了她一眼，取了外套便往大門走。

「不准去看她。」玉章喝道。

巧雪踏出大門，止了步，垂着頭低聲道：「媽，那次報警的，

不是四姨，是我。」

玉章怔住了，只見大門砰然關上。

我要考第一（啟楠作品）

在小五丙課室……

「各位同學再見！」

「劉——老——師——再——見！」

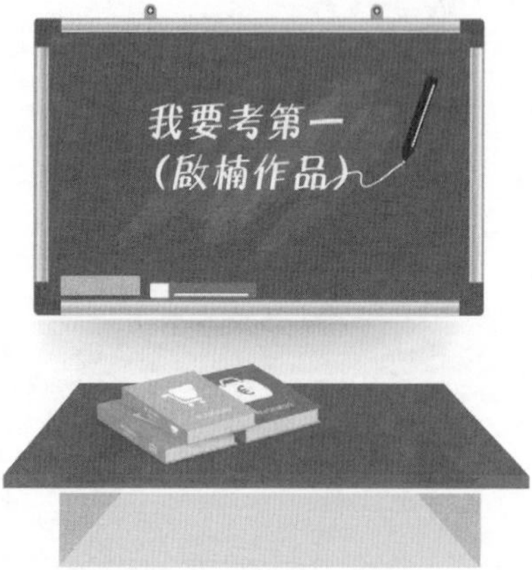

劉老師一離開，整個課室便嘈雜得恍如菜市場。有的同學飛快跑往洗手間，有的就賽跑般衝去小食部，亦有少數同學在努力做功課。馬子良便是其中一個。

「喂！馬子良，怎麼這樣勤力？想拿勤學獎？還是想考第一？」全班最頑皮的吳浩圖大力推了子良的頭一下。

「哎唷！」

子良被他一推，額頭重重的撞在他手握的原子筆上，痛得他叫起來。他摸摸額頭的痛處，咬着牙，繼續做功課。

「我就知道他為何要在小息做功課了！」陳敬仁神秘地笑

道。

「為其麼呢？」吳浩圖好奇地問他。

子良抬起眼睛，有點害怕的看看他，然後又把頭埋得很低，繼續做功課。

「昨日下午，我媽媽帶我到醫院探病。計程車經過一條很髒的街時，我居然看見了馬子良！」陳敬仁瞪大眼睛，興奮的描述着。

「哈！他不是在那兒掃街吧？」吳浩圖笑問。

「他做的事比掃街還好玩呢！」

「他究竟做了什麼呢？快告訴我！」吳浩圖急問。

陳敬仁不慌不忙的道：「昨日我見到馬子良拿着個黑色大垃圾袋站在街上。」

「嗄？他去做小偷？」吳浩圖猜道。

「不！他伸手進去垃圾桶，找出一個汽水罐，然後用腳踏扁它，放進他的垃圾袋裏。」

「嘔——」吳浩圖作了個嘔吐狀。「他做『垃圾佬』？」

站在附近的同學都聽到了，開始竊竊私語。

「嘩，他『發神經』嗎？這麼髒的垃圾桶，他也敢伸手進

去！」

「咦——有否洗淨雙手才回校呀？」

「還是不要走近他！」

一個同學忍不住走上前問子良：「喂，你拾汽水罐來做什麼？」

子良的臉早已通紅，一直紅到耳根。他恨不得在地上掘個洞鑽進去，避開所有人。但他渾身都僵硬了，想走也走不動。

「我就知道他為什麼拾汽水罐了！」陳敬仁很得意的代他

答道。「我媽媽說，一些窮人會收集汽水罐或紙皮箱去賣，但，拾一整天，最多只能賺取十元八塊！」

「嗄？最多賺十元？十元也不夠我一天買零食呢！」吳浩圖捉着馬子良追問：「你賺那丁點錢來做什麼？」

馬子良縮着頭，依舊一言不發。

「喂！馬子良，你聾了嗎？」

「鈴——」小息結束的鐘聲響起了，救了子良一命。

放學後，子良揹起書包，飛快的跑回家。

剛踏進家門，弟弟傻傻便迎上來，一看見他，滿臉失望的

道：「啊，我還以為是媽媽回來了！原來只是你。」

「哥哥，媽媽不是說過會在二十四日回來嗎？今天已是二十五日了！」妹妹貝芯嘟着嘴道。

「我也不知道為何媽媽還未回家。或許她買不到車票吧！」子良放下書包，望一望牆上的月曆，回道。

自從爸爸一年多前離家而去後，在中國大陸居住的媽媽便申請雙程證來港照顧他們三兄妹。每次離開，都會留下一點微薄的生活費。若用盡了，媽媽仍未返港，子良便要想辦法「賺取」生活費。

「哥哥，我們今晚吃些什麼？」貝芯問。

「昨晚剩下的菜呢？」子良反問。

「我們午飯時吃掉了。今晚沒有餸，米也只剩下少許，不夠我們吃。」貝芯愁着臉回道。

「那麼——」子良咬咬牙，道：「我會想辦法的了。我出去一會兒。貝芯，你好好看着俊俊。」

子良匆匆穿上一件風褸，再次跑到那條骯髒的街。

噢！忘了帶垃圾袋！

子良就拾起地上的一個紙皮箱以代替垃圾袋，然後戴起風

褸領後的帽子，又開始尋覓汽水罐了。

他繞到街市入口前，在一列紙皮箱和竹簍前搜索。很多人愛以這些紙皮箱和竹簍代替垃圾箱，把汽水罐丟進去。他曾經試過在一個竹簍裏找到一袋十五個汽水罐，令他開心不已。

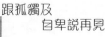

今天運氣不太好呢！找了許久才找到七個汽水罐。難道罐裝汽水加價了，人們轉飲其他飲品嗎？

在街市前來回走了幾趟，收穫不大。子良決定到便利店附近碰運氣。就在這時，他看見陳敬仁、吳浩圖及另外三個同

學從便利店出來，各人都拿着雪糕、薯片等零食。子良正想掉頭走，但已太遲了。

「你們看呀！是『垃圾佬』馬子良啊！」陳敬仁一手拿着蝦條，一手指着子良，高聲道：「今天你來拾什麼呀？又是汽水罐？」

子良低着頭，不吭聲。

「汽水罐嘛，我沒有。紙盒呢？你要不要？」吳浩圖把一盒檸檬茶飛快喝完：走上前一把丟進子良的紙皮盒裏。

「蝦條袋呢？你要嗎？」陳敬仁問。「啊呀！我還未吃

完，不如我明天帶回學校給你，好嗎？」

「我也可以給你些蝦條袋、蛋糕包裝紙……你是否全都要？」

「馬子良，我也有……」

子良再也忍不住了，一轉頭便扯着紙皮箱飛也似的跑。後面爆出一陣巨大的笑聲。他走得很遠了，但笑聲仍不斷傳來。子良覺得眼睛潤濕起來，眼淚一滴、一滴的流下，抹也抹不掉。

第二天，子良揹着書包，一步一步緩慢的走回學校。

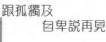

沒有辦法。那些是他的同學，他一定要面對他們。

他大力吸了口氣，大踏步走進課室。

「呀！」

當他看見自己的書桌，不禁大叫一聲。

面前的書桌，竟堆滿了垃圾！零食包裝袋、紙包飲品盒、橙皮、香蕉皮……甚至雞翅膀骨也有！

陳敬仁吃吃笑着，走到子良的身邊道：「我和其他同學已盡力尋找垃圾，你滿不滿意？」

旁邊看着的同學全部都在哈哈大笑。子良心裏的怒火猛烈

燃燒，燒得他的頭噴出濃煙，像一輛在前進的火車。

「陳敬仁！你太過分了！」

子良用盡全身氣力去推陳敬仁。陳敬仁向後退了幾步，撞到後面的書桌上。他不服氣，也伸出雙手去推子良。接着，他倆便扭在一起打架了。

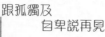

子良比陳敬仁矮小，但力氣比他大，很快便把他推跌地上。有些同學在旁打氣，有些則嚇得呆立當場，班長看到馬上跑去找老師。

班主任王老師趕到時，陳敬仁的左頰已給打腫了；子良的

校服領子也給撕破。

「你倆跟我出來！」王老師沉着聲道。

兩人低着頭，像兩個犯人尾隨着王老師到教員室。

給他們治理好傷處後，王老師問道：「你們為什麼要打架？」

陳敬仁搶先道：「是馬子良先打我！」

王老師嚴厲的瞪着子良，問：「你有何解釋？」

「王老師，我從來也沒有打過人的！但今天我一進入課室，便看見我的桌子上有一大堆垃圾。我知道是陳敬仁放在

我桌面的，因為……因為……」子良說不下去了。他不能讓王老師知道他收集汽水罐的事。因為，因為那……實在太羞了！

「陳敬仁，你有沒有把垃圾放在馬子良的桌上？」王老師問他。

「我沒有啊！」陳敬仁馬上回道。

「他說謊！王老師，我肯定是他做的！」子良急得淚水也流出來了。

「為何你這麼肯定是他做的？」王老師又問。

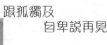

子良垂下頭，一言不發。

他可以說些什麼呢？

下課後，子良如常的飛快離開學校。一踏進家門，他便聽見媽媽親切的聲音。

「子良！」

子良看見媽媽，真的想投進她懷抱痛哭一場，不過，弟弟俊俊早已躲在媽媽懷裏撒嬌。子良想：自己已年長了，總不能夠像弟弟一樣依賴媽媽，便打消了剛才的念頭。

「咦，子良，怎麼你的校服領子弄破了？」媽媽一看見

他，便問：「你的額角也紅腫了呢！子良，你跟人打架嗎？」

子良搖搖頭，撒了個謊：「我只是跌傷罷了。」

「哥哥，媽媽買了許多麵條和米粉呢！還有一件大衣，是給你的！」貝芯把一件寬闊的藍色大衣遞給子良。

「嘩，很漂亮呢！多謝媽媽！」子良愉快的道。

「我該多謝你才是！媽媽不在香港的時候，你要幫忙照顧弟妹，做家務，又要上學，真辛苦你了。我也希望快點申請到單程證，可以永遠留在香港跟你們一起住。」

「我也很想呢！」子良道。

翌日上課時，王老師跟全班說：「下星期一便開始考試了。你們要專心溫習，以應付考試。有家長告訴我最近有部分同學常常在下課後相約上街，或去同學家玩耍。希望大家明白考試的重要，不要只顧玩樂，浪費時間。」

小息時，子良照例留在座位做功課，陳敬仁經過他的身邊，悄悄的道：「『垃圾佬』，你不能去拾垃圾賣了，今趟一定餓死！如果你還天天去拾垃圾，考試一定『肥佬』。無論怎樣，你也是『死定』了！」

子良正想反駁他，他卻一溜煙的跑走了。

那個晚上，子良很認真的跟媽媽說：「媽媽，下個星期，我不能幫忙做家務了。」

「哦！不要緊。」媽媽微笑道。

「唔，哥哥，你想偷懶！」貝芯皺眉道。

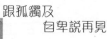

「不！下星期我開始考試，我想好好溫習。我今年小五了，一定要比以前更努力，考好每個考試，將來才可以入一間好的中學。還有——」

「還有什麼？」媽媽問道。

「我想爭一口氣。只要有好的成績，同學便不會看不起

我。」子良道。

「努力吧！」媽媽點點頭道。

整個考試周，子良都全力以赴，希望取得最好的成績。即使陳敬仁間中對他冷嘲熱諷，他也可以置之不理，專注應付考試。

考完最後一科，全班都鬆一口氣。

放學後，有不少同學相約去逛街，有些更趁機結伴去迪士尼樂園遊玩。子良如常的不參與同學的活動。多口的陳敬仁又故意高聲道：

「『垃圾佬』，考完試又趕去拾垃圾了！」

子良當作聽不見，揹起書包便踏上歸家的路。

由今天開始，子良便要「工作」——替隔壁芳姨的一對初小子女補習。因為芳姨找到一份全職工作，她需要找人照顧她的子女。子良的媽媽持雙程證來港，不能賺錢，但有子良替這對孩子補習，子良媽媽便可「順便」照顧他們的起居飲食了。

有了這少許收入支持，子良不用再撿拾汽水罐或紙皮箱。

新年假期過後，便是派發成績表的大日子了。

王老師捧着一大疊成績表，走進課室。大家立刻閉上嘴巴，緊張的等候着王老師請同學逐一出去領取成績表。

子良心情特別緊張。他過去的成績不算差，今次他比以前更加努力，不知道成績有沒有進步呢？他期望以好的成績報答媽媽照顧他的辛勞。而且，他要為自己爭一口氣。

「馬子良！」王老師喚道。

老師一叫，子良的心差點彈了出來。他低下頭，徐徐的走到老師跟前。

我的成績怎樣呢？好？差？好？差……

「馬子良！」

王老師今天的聲音為何特別溫柔？

子良抬起頭，緊張的看着她。

「今次的考試，馬子良考獲全班第一呢！」王老師向全班宣布這個消息，同學立刻拍手歡呼祝賀他。

全班第一？我是否在做夢呢？

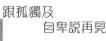

「恭喜你，馬子良！」王老師把成績表遞給他。

子良立刻看清楚名次一項。的而且確是第一名啊！一個他從未獲取過的名次呢！今天可算是他有生以來最光榮的日

子。媽媽知道了，一定非常高興。不過，上次與陳敬仁打架一事，訓導老師說會記兩個小過，為何成績表上功過一欄沒有記上呢？難道是老師忘記了？

「馬子良，恭喜你！」

「嘩！很厲害呢！」

子良返回座位，不停接受同學的祝賀。但他還在想：是否該問一問老師，抑或該慶幸老師忘掉記過一事呢？

子良再仔細看一着成績表上的每個分數和評語。原來，王老師認為他「勤奮向學，誠實可嘉」。

誠實可嘉。

子良看到這評語，有點慚愧。

我算是個誠實的孩子嗎？

小息時，子良立刻到教員室找王老師。

「王老師，上月我和同學打架，是否……要記過的呢？我的成績表沒有寫上啊。」子良輕聲問道。

「馬子良，難得你這樣坦白！」王老師微笑道：「讓我跟你解釋一下吧。」

「我和訓導老師已深入調查過你和陳敬仁打架的事件，

亦問過班上目睹的同學，知道原來事件起自陳敬仁的惡作劇，你被激怒以致動手推他。我們明白事件真相後，決定不記你小過。但你打架始終是不當的，我便最後以扣除你的操行分作懲罰。你之前因各科表現良好而獲加的操行分要全部扣除。所以，你的成績表上並沒有功過紀錄。你現在明白了嗎？」

「明白了！王老師，多謝你！」子良由衷的道。

放學了。子良飛快地執好書包，準備回家。就在這時，有人在他背後輕聲道：「馬子良，恭喜你！」

他轉過頭去，發現那原來是陳敬仁！

「啊！」他心裏萬分詫異，然後微笑着道：「多謝你！」

「其實，我一直……也提不起勇氣跟你再說話。王老師和我媽媽都告誡過我。我明白以前做的事很不對。我想向你說聲：對不起！」

「我也該向你道歉。我太衝動了。」子良回道。

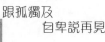

「還有，你真的很厲害呢！沒有補習老師，放學又要趕去『賺錢』，這樣也考得全班第一，很令我敬佩！」

「我想我是幸運的！」子良笑道。「我要回家去啦，再

見！」

真的。子良覺得自己非常幸運。有溫暖的家，有讀書機會，有好老師、好同學，一番努力過後還有出乎意料的好成績。

他笑着跳着，愉快的踏上回家的路。

（《我要考第一》為大仔啟楠九歲時的作品）

跟孤獨及自卑説再見

作　　者：君比
責任編輯：黎秀珍　林雪伶
封面設計：靛
美術設計：Match Idea Box Ltd.
封面照片：YoYo Tong
出　　版：明窗出版社
發　　行：明報出版社有限公司
香港柴灣嘉業街 18 號
明報工業中心 A 座 15 樓
電話：2595 3215
傳真：2898 2646
網址：http://books.mingpao.com/
電子郵箱：mpp@mingpao.com
版　　次：二○一五年六月初版
I S B N：978-988-8337-09-5
承　　印：美雅印刷製本有限公司

本書 < 跟孤獨及自卑説再見 > 一文承蒙小童群益會悉心安排訪問，讓作者得以撰寫此勵志故事，特此鳴謝。